Jürgen Kaiser

Warum Schwaben alles können – wenn sie wollen

Historische Streifzüge in Schwaben

Edition Gemeindeblatt

Bibliografische Information der Deutschen Bibliothek:
Die Deutsche Bibliothek verzeichnet diese Publikation in der Deutschen Nationalbibliographie; detaillierte bibliografische Daten sind im Internet über http://dnb.ddb.de abrufbar

Augustenstraße 124, 70197 Stuttgart
Telefon 0711 60 - 100 0, Fax 0711 - 60 100 76
www.evanggemeindeblatt.de

ISBN 3-920207-12-2

Illustrationen und Covergestaltung: Uli Gleis
Satz: Rund ums Buch – Rudi Kern, Kirchheim/Teck
Druck und Bindung: Maisch & Queck, Gerlingen

Jürgen Kaiser,
Warum Schwaben alles können – wenn sie wollen

Inhaltsverzeichnis

Vorwort

»So isch's no au wieder« sagt der Schwabe, wenn er nach reiflichem Nachdenken das Pro und Contra einer Entscheidung abgewogen und dann entschieden hat, nicht ohne gleichzeitig auch das Gegenteil für möglich zu halten. Sogleich fängt er wieder an zu »grübeln« und beschäftigt sich mit der Angelegenheit erneut – wenn auch auf einer höheren Ebene. Hegel hat diese schwäbische Denkweise, mit den Dingen umzugehen, gleichsam auf eine höhere Ebene gebracht und mit seinem Dialog zwischen These und Antithese das Denkrüstzeug geprägt, das ihn zum Staatsphilosophen Preußens machte. Seine Synthese schließt das Denken nicht ab, sondern ermöglicht sogleich einen Neubeginn von höherer Warte aus.

»So isch's no au wieder« heißt deshalb die Artikelreihe, die seit Jahren in der Zeitschrift »konsequenzen« erscheint, der Zeitschrift des Diakonischen Werkes Württemberg, dessen Abonnement ich nur jedem empfehlen kann. Unter einem jeweiligen Oberthema berichtet die Zeitschrift alle zwei Monate über menschliche Schicksale und diakonische Angebote und öffnet so dem Leser die Augen für die sozialen Brennpunkte in der Gesellschaft – ohne erhobenen Zeigefinger und mit viel Einfühlungsvermögen für die Belange der betroffenen Menschen. Die letzte Seite nahm und nimmt unter der Überschrift »So isch's no au wieder« das Thema der Ausgabe auf und versucht, in der schwäbischen Heimatkunde dazu fündig zu werden. So werden immer wieder die Wurzeln diakonischen Handelns in Landeskunde, Wesensart und Geschichte gesucht und beschrieben.

Die Idee dazu liefern Vorträge, Anekdotensammlungen, alte Heimatbücher, Kirchengemeinderatsprotokolle aus vergangenen Zeiten, die mir befreundete Pfarrerinnen und Pfarrer zur Verfügung stellen, und vor allem die württembergischen Oberamtsbeschreibungen und Visitationsberichte aus dem 19. Jahrhundert. Auf diese Quellen stützen sich alle, die in der schwäbischen Geschichte forschen und suchen.

Dank sagen möchte ich meinen Förderern. Da wäre an erster Stelle meine Frau Christine zu nennen, die morgens am Frühstückstisch die Geschichten findet, die ich in der Nacht zuvor geschrieben habe, sie als erste liest und kommentiert. Claudia Mann als Chefredakteurin und Peter Ruf als Herausgeber der Zeitschrift »konsequenzen« sei gedankt für ihre professionelle Begleitung. Bernd Friedrich vom Verlag der Evangelischen Gesellschaft danke ich für die Ermutigung zur Herausgabe dieses Buches. Dem früheren Wirtschaftsbürgermeister der Stadt Stuttgart, Rolf Lehmann, danke ich für manche Initialzündung und für die philosophische Begleitung auf dem Weg, die schwäbische Seele zu ergründen.

Stuttgart, im Sommer 2005 *Jürgen Kaiser*

»D'r kloinschte Fluss em Land isch d'r Überfluss«

[dɘ kloinschde flus ɛm land isch dɘ i:bɛrflus]

Leben im alten Württemberg am Rande des Existenzminimums

Als in den dreißiger Jahren des 19. Jahrhunderts einmal ein Schulrat in eine schwäbische Schule zur Visitation kam, wurden die Schüler in Reih und Glied aufgestellt und befragt: »Wie heißt der größte Fluss des Landes?« »D'r Necker!«, rief der Klassenprimus. »Gut! Und wie heißt der kleinste Fluss?«, wollte der Schulrat wissen. Da platzte ein kleiner Knirps heraus: »Der kleinste Fluss isch d'r Überfluss!« So vermeldete es der Schulrat in seinem Bericht nach Stuttgart.

Württemberg war bettelarm. Es gab keine Bodenschätze, und das »gute alte Recht« der Realteilung bei einem Erbfall war mehr als demokratisch, denn es verteilte den gesamten Besitz auf alle Kinder gleich – auch die Mädchen waren in Württemberg erbberechtigt. Aber es zerstückelte auch alles immer und immer wieder, so dass manche Äcker wirklich nur »handtuchbreit« waren von der ständigen Erbteilung.

Darüber wurde genau Buch geführt, denn die Obrigkeit wollte alles wissen. In Württemberg herrschte Inventurzwang bei Eheschließungen und Todesfall. Da wurde von staatlicher Seite alles Eigentum aufgelistet: Von den Hausanteilen bis zur Mausefalle wurde alles gezählt, aufgeschrieben und bewertet. Das freut heutige Historiker und Soziologen, können sie doch über Jahrhunderte hinweg aus solchen Listen tiefe Einblicke ins Leben unserer Vorfahren gewinnen.

Damit war auch klar, wer im Todesfall was bekam. So wohnte einer in einem Achtelhaus, besaß eine halbe Lederhose, mit der er nichts anfangen konnte, und durfte sich an einem geerbten Stopfei erfreuen. Alles peinlichst genau vermerkt vom damaligen Amtsschreiber, der in einem Fall auf der Rauhen Alb vermerkte, dass die streitbaren Erben sogar Bibel und Gesangbuch zerschnitten und unter sich aufteilten.

Die Menschen damals hatten es zu ertragen, denn sie hatten keine andere Wahl. Also mussten sie sich etwas einfallen lassen. So entstanden die Nebenbeschäftigungen, weil die Landwirtschaft eine Familie allein nicht mehr versorgte. Die Mädchen wurden »ens Deähne« geschickt – also als Dienstmägde bei den Bürgern der Städte untergebracht. Oder flochten Strohhüte, die auf dem Markt verkauft wurden. Im Schwarzwald wurden Holzuhren geschnitzt, auf der Alb zog der Webstuhl in die Bauernhäuser ein. Reich wurde damit niemand – es ging immer nur ums Überleben.

Die Not förderte auch das Sinnieren. So fand der Pietismus im armen Schwaben reiche Ernte, denn er ermöglichte auch geistig das Überleben, indem er der Armut einen Sinn gab. Aus solchen Wurzeln kamen nicht nur die Träume von einem besseren Leben im Jenseits, die in den damaligen Kirchenliedern wie »Hindurch, hindurch durchs irdne Jammertal« ihren Ausdruck fanden. Sie förderten auch die Ideen zur Klärung der Sinnfrage – angefangen bei Philipp Matthäus Hahn mit seinen Weltuhren samt Berechnung des Anbruchs des Jüngsten Tages bis hin zu Hegel, der mit seinem »Weltgeist« zum Staatsphilosophen Preußens wurde. Der Drang, in die Welt hinaus zu gehen und neue Welten zu erschließen, kommt ebenso daher wie der Drang, diese Welten zu gestalten. So schufen die Schwaben die Basler Mission und verkündeten den christlichen Glauben in allen Ecken der Erde.

Doch die Armut blieb. In den vierziger Jahren des 19. Jahrhunderts lebten 1,8 Millionen Einwohner in Württemberg, darunter 120.000 Menschen unter dem Existenzminimum. Es waren interessanterweise die besonders rechtlosen Frauen aus der Unterschicht, die sich zu wehren wussten. Sie führten am 1. Mai 1847 in Ulm eine in Schwaben völlig neue Methode des Widerstandes ein: die »Katzenmusik«. Mit Töpfen, Pfannen, Kochlöf-

feln und Eimern machten sie vor den Bäckereien einen riesigen Krach, um auf die Teuerungswelle von Mehl und Brot aufmerksam zu machen. Am 2. Mai 1847 machten es ihnen die Stuttgarter Wengerterfrauen im Bohnenviertel nach. Ihr Protest ging als »Stuttgarter Brotkrawall« in die württembergische Geschichte ein, denn aus der Katzenmusik wurde eine Straßenschlacht, bei der sogar Militär zum Schutze des Königs eingreifen musste. 1849 organisierten die Stuttgarter Frauen einen Milchboykott auf ähnliche Weise, die Milchpreise waren zu hoch geworden. Die Katzenmusik war aber nicht mehr nur den Frauen aus den ärmsten Schichten vorbehalten. In Freudenstadt versuchten Handwerkerfrauen vor dem Haus des Richters mit einer Katzenmusik die Freilassung des Lehrers ihrer Kinder zu erreichen. Der saß wegen angeblich demokratischer Umtriebe im Stadtgefängnis. So wurde Not und Verzweiflung im Protest öffentlich.

Diese Geschichten lassen sich heute noch anhand von Gegenständen nachvollziehen. Im Freilichtmuseum Wackershofen bei Schwäbisch Hall kann man an den Ausstellungsstücken in einzelnen Häusern die Not und Armut der angeblich »guten alten Zeit« sichtbar erfassen. Im Museumsdorf stehen kurz vor dem Ende des Rundweges hinter dem Museumsgasthof »Roter Ochsen« zwei kleine Häuser, von der Grundfläche kaum größer als heutige Garagen für schwäbische Autos, die als »Armenhäuser« zeigen, wie unsere Vorfahren gelebt haben. Denn sie sind eingerichtet mit dem, was unsere Vorfahren besaßen – nicht nur für heutige Wohlstandskinder ein bleibender Eindruck. In einem der Häuschen haben sogar einmal 13 Personen zusammen gelebt.

Die haben buchstäblich mit nichts ihr Leben gehaust, geliebt und gelitten, Kinder gezeugt und erzogen, täglich nicht gewusst, von was sie morgen leben sollten, und trotzdem versucht, ihre Würde zu bewahren.

D'r schwarze Brei

[dɘ schwarze brei]

Überlebensstrategien in der Mangelgesellschaft

Wer in der heutigen Gesellschaft nicht mehr zurecht kommt, schwärmt gerne von der »guten alten Zeit«. Auch und gerade weil er keine Ahnung hat, von was er da schwärmt. Denn eine gute alte Zeit hat es nie gegeben. Die vergangenen Zeiten waren selten gut, schon gar nicht in gesellschaftspolitischer Hinsicht. So trübt denn auch meist ein verklärender oder geschichtsklitternder Blick die Wahrnehmung.

Wenn man wissen möchte, wie die Menschen früher gelebt haben, sollte man den Blick in die historischen Kochtöpfe werfen. »Ein Mädchen, das keinen schwarzen Brei kochen kann, soll man nicht heiraten« heißt eine alte schwäbische Lebensweisheit. Schaut man in den schwäbischen Freilichtmuseen in die Küchen, kann man sie überall finden: die Breipfanne. Meist war sie ein alter Messingtopf mit überlangem Stiel, den man nach dem Kochen mit dem Pfannenknecht, dem Untersetzer, auf den Tisch stellte. Die Mutter kochte gleich nach dem Aufstehen darin Wasser und rührte ein paar Handvoll aus dem Musmehlsäcklein hinein. Unter Umrühren entstand eine Art Grütze. Dann kam die Breipfanne auf den Tisch und alles griff zum Holzlöffel. Messer und Gabel kannte man nicht. Wenn man wohlhabend war, wurde in die Mitte ein Loch gegraben, eine Art Krater. Da hinein kam zerlassene Butter – wenn man überhaupt Butter im Hause hatte. In großer Armut wurde ein »Sau-

nabel« über dem Tisch aufgehängt, daran konnte jeder seinen Löffel »schmieren«, damit der Brei nicht gar so trocken schmeckte. Diesen Brei aß man in Schwaben zum Frühstück und »mauerte« so den Magen »aus«. Brei gab es überall in Schwaben – nur die Getreideart wechselte je nach der Gegend. Auf der Alb war es ein Brei aus geschrotetem Dinkel, in Stuttgart liebte man den Welschkornbrei (Mais), in Pleidelsheim war es Hirse. Darum nennt man die Pleidelsheimer auch heute noch »Hirsebäuche«. Das war das tägliche Essen des kleinen Mannes, von Wohlstand keine Spur. Dazu gab es Milch, selten Kaffee – und der war dann aus geröstetem Weizen gemacht. Und selbst dagegen wetterte noch ein Lehrer auf der Alb im Jahr 1902 wegen Verschwendung: Auch diese Art, Kaffee zu trinken, galt auf der Rauhen Alb als »böse Sitte«.

Armut war selbstverständlich in Württemberg. So war es kein Wunder, dass die Armen zur Auswanderung gedrängt wurden.

Noch um die Mitte des 19. Jahrhunderts zahlte die Gemeinde den Armen lieber die Schiffsreise nach Amerika, als sie im »Armenhäusle« mühsam durchzufüttern. So waren die Schwaben, die im 19. Jahrhundert nach Chile, Brasilien, Kanada und in die USA auswanderten, alle »Wirtschaftsflüchtlinge«. Das sollte jede schwäbische Familie, die stolz auf ihre Verwandtschaft in den Staaten ist, bedenken. Auch ihre Vorfahren waren arme Schlucker.

Die überall gegenwärtige Armut trieb die Menschen in die Wälder. Noch Gustav Schwab beschrieb die Angst der Bauern im Filstal. Besonders um Wiesensteig trieben die »Freileute« ihr Unwesen. Sie hausten mit ihren Familien in den Wäldern und Höhlen des Albaufstiegs und bedrohten die einzeln stehenden Gehöfte. Wenn ihnen nicht Tribut in Form von Mehl, Milch und Fleisch bezahlt wurde, drohten sie mit dem »roten Hahn«: Sie legten Feuer. Ihr Name ging wohl auf den Bandenführer Gottfried Frei zurück, der 1801 gefangen genommen und gehängt wurde. Um 1800 wurden in Württemberg allein 3.000 dieser so genannten »Jauner« aufgelistet. Württemberg ging besonders streng gegen die Freileute vor. In anderen Ländern war man milder gestimmt und meinte, man könne Menschen nicht allein deshalb aufhängen, weil sie arm seien und ihnen deshalb nichts anderes als der Mundraub übrig bleibe. Aber gefangen wurden sie trotzdem und nach Venedig als Galeerensklaven verkauft! In Süddeutschland waren die Verfolgungen so heftig, dass es manchmal mehr Verhaftete gab, als Venedig Galeerensklaven abnehmen konnte.

Besonderes hatte man mit den Kindern von »Jaunern« im Sinn. Sie wurden in Waisenhäuser gesteckt, die von Zwangsabgaben der Gemeinden finanziert wurden, wie etwa das Ende des 18. Jahrhunderts in Ludwigsburg erbaute Waisenhaus.

Die Eltern auf die Galeere, die Kinder ins Heim. Das war der Preis der Armut.

»Oina an'd Gosch no'«

[oinə an´t gosch no]

Leben in der patriarchalischen Gesellschaftsordnung

»Dess Jacob Mezger Eheweib hat bei dem Pfarrer die Anzaige gemacht, dass ihr Ehemann sie schon sehr oft und erst vorgestern und heute wieder mit Schlägen außerordentlich hart tractieret habe …« (6. September 1793)

»Der Schreiner Wiest gibt an, dass der Schulmeister seinen Buben so sehr geschlagen hat, dass derselbe nimmer in die Schule gewollt hätte.« (9. November 1793)

So nachzulesen in den Protokollen des Kirchenkonvents von Freudental. Seit 1644 gab es diese Kirchenkonvente in Württemberg, und sie sollten über Sitte und Zucht im Dorfe wachen – also über alles. Das taten sie mit solcher Hingabe, dass ihre Protokolle den Volkskundlern heute wahre Freuden bereiten. Denn so lässt sich ein tiefer Blick in die Lebensverhältnisse vergangener Zeiten tun. Auch die alten Kirchenregister sind da aufschlussreich, wenn sie nicht während des Dreißigjährigen Krieges verbrannt wurden. So findet man in alten Taufregistern häufig, dass der Name des Täuflings und das Taufdatum auf dem Kopf stehen – also ins umgedrehte Buch geschrieben wurden. Damit kennzeichnete der Pfarrer, dass der Täufling unehelich geboren wurde. Im angeblich so sittsamen Württemberg wurden jedoch viele Kinder verkehrt herum eingetragen.

Das Leben war hart, und so schlug man auch selber hart zu. Züchtigung war selbstverständlich, und es betraf besonders die

Schwächeren und sozial unten Stehenden, also Frauen und Kinder. Der Einsatz des Rohrstockes war ein übliches pädagogisches Mittel. Beschwerte sich ein Kind zu Hause über die Prügel in der Schule, bekam es gleich noch mal welche vom Vater wegen Unbotmäßigkeit gegen die Amtsperson des Lehrers. Noch heute können alte Menschen von »Tatzen« und »Hosenspannern« aus ihrer Schulzeit berichten. Als Autorität dazu wurde die Bibel benutzt. »Züchtige Deinen Sohn« (Sprüche 19,18) und »Lass nicht ab, den Knaben zu züchtigen« (Sprüche 23,13) wurde wörtlich befolgt. »Wer sein Kind liebt, der züchtigt es« wurde als biblische Praxis ausgeübt und als pädagogische Anweisung verstanden.

Das alte Württemberg dachte streng patriarchalisch. So wie Gott über dem Herzog und später dem König stand, so stand dieser über dem Hausvater, und damit hatte alles seine göttlich gefügte Ordnung. Der Hausvater wiederum stand über seiner Familie. Ihm war zu gehorchen.

Das galt auch für alle, die »im Haus« lebten: Knechte und Mägde, unverheiratete Verwandte, Dienstmädchen, Lehrlinge. Noch bis 1918 galt in Württemberg die Gesindeordnung, die körperliche Züchtigung – auch der weiblichen und männlichen Dienstboten – ausdrücklich erlaubte. Alle im Haus waren zu absolutem Gehorsam verpflichtet. Für die Mitbewohner galt, »ihren Dienst redlich, fleißig und aufmerksam bei Tag und Nacht unverdrossen und nach dem Willen der Dienstherrschaft zu besorgen«. So bekam manch einer »g'schwend oina and' Gosch no«. Kam dann noch der Alkohol hinzu, verwandelte sich das häusliche Heim zur Hölle. Eine Beobachtung, die bereits Martin Luther machte, der bei einer seiner zahlreichen Tischreden die Erkenntnis aussprach: »So muss ein jegliches Volk einen eigenen Teufel haben. Des Deutschen Teufel aber heißt: Sauf!«

Vom legendären Pfarrer Flattich, einem der Väter des Pietismus, ist überliefert, dass er seiner Braut bei der Trauung in der

Kirche, als er gefragt wurde, ob er sie »zum Weibe nehmen wolle«, erst »ja« sagte, als er ihr wie aus heiterem Himmel eine schallende Ohrfeige verpasst habe, nur um zu sehen, ob sie auch dies in Demut ertrage und den Mund halten würde. Sie tat es, und so sagte er »Ja«.

Freilich waren es aber auch gerade die pietistischen Kreise, die das Individuum genauso wie die Aufklärer entdeckten. Für sie wurde der Mensch zu einer eigenen Persönlichkeit, die sich selber entfalten konnte und durch Bildung erzogen werden sollte. Da wurde der Blick darauf frei, dass der Mensch nicht einfach nur Teil einer großen Masse ist, sondern einen eigenen Stellenwert vor Gott hat, den es bewusst zu machen und zu erziehen gilt. Mit diesen Erkenntnissen begann geisteswissenschaftlich die Neuzeit. So wurde auch der Blick geschärft für die Armen, Kranken und Behinderten und damit der Grund gelegt für die »Rettungshäuser«, aus denen sich die diakonischen Einrichtungen entwickelten.

»D'r Salpeterer kommt!«

[dɘ salpɛdɛrɛr kommt]

Keiner ohne Arbeit

D'r Salpeterer kommt!« Sofort war das Dorf in heller Aufregung, wenn dieser Ruf erschallte. Schlimmer konnte im Mittelalter der Hexenmeister der Inquisition auch nicht angekündigt werden. Denn der Salpetersieder kam im 17. und 18. Jahrhundert im Auftrag des Herzogs und hatte das Recht, jeden auch noch so verschlossenen Stall auszuheben und auszugraben. Der Herzog brauchte Schießpulver. Da dies zu rund siebzig Prozent aus Salpeter bestand, Schwaben aber keine Bodenschätze besaß, mussten eben die Kühe ran. Genauer, der Stallboden, der mit Urin getränkt war. Diesen hob der Salpetersieder aus und kochte ihn gleich an Ort und Stelle ein. Die Gemeinde musste ihm dazu eine Hütte bauen und das Holz für seine Feuer stellen. Und es stank gewaltig. Die Zeit war ohnehin nicht durch Hygiene aller Art verwöhnt, aber der Salpetergestank ließ selbst die Hartgesottenen, die sich maximal einmal in der Woche wuschen und nur am Sonntag die Kleidung wechselten, in die Knie gehen. Den ausgekochten Salpeter lieferte der Salpeterer dann in der herzoglichen Pulvermühle in Urach ab, wo das Schießpulver gemahlen wurde. 1707 so erfolgreich, dass die Mühle in die Luft flog, mitsamt der Uracher Unterstadt. Auch die Amanduskirche wurde beschädigt.

War der Salpetersieder in der Berufszunft ganz unten angesiedelt, stand der Wirt ganz oben, was die Wertschätzung von

Berufen anging. Gab es in den Dörfern kein eigenes Rathaus, war häufig der reichste Wirt der Bürgermeister. Die Ratssitzungen fanden somit im Wirtshaus statt – das ergab eine zusätzliche Einnahme für Essen und Trinken. Kamen herzogliche Schreiber und Beamte brauchten die auch noch ein Bett, ihre Pferde einen Stall und ihre Wagen eine Reparatur. Da war es doch besser, das Geld blieb gleich in der eigenen Kasse. Das nahm so überhand, dass im 18. Jahrhundert die Personalunion von Schultheiß und Wirt vom Herzog verboten wurde. Das Gesetz brauchte jedoch Jahrzehnte, bis es umgesetzt werden konnte, weil die Gemeinden (angeführt von ihrem Schultheiß) sich aus Geldmangel weigerten, eigene Rathäuser zu bauen. Klar, ging man zum Gemeinderat gleich ins Wirtshaus war das angenehmer als erst nach der Sitzung, gab es doch eine streng überwachte Polizeistunde.

Jeder lebte irgendwie von der Landwirtschaft. Diese deckte den existenziellen Grundbedarf. Weil es aber in Altwürttemberg das Erbrecht der Realteilung gab, reichte es bald hinten und vorne nicht zum Überleben. Also musste jeder zusätzlich handwerklich arbeiten. Das reichte auch nicht, förderte aber neben der Heimarbeit den Erfindungsgeist und das Tüftlertum ebenso wie die Auswanderung. Mit der Industrialisierung fiel für viele, die in der Nähe von Fabriken wohnen mussten, die hauptberufliche Landwirtschaft weg – Landwirtschaft wurde zum Existenz erhaltenden Nebenerwerb. Deshalb hatte, solange er konnte, ein schwäbischer Arbeiter immer noch etwas Vieh im Stall. »M'r woiß ja nie ...« hieß noch zurzeit des Koreakrieges 1953 die Begründung, warum ein Bosch- oder Daimlerarbeiter Vieh im Stall hatte und sich einen kleinen Gutbrod- oder Hatz-Schlepper mit ganzen zehn PS kaufte.

In den Familien mussten alle – auch die Kinder – mitarbeiten. Urlaub gab es keinen, und es durfte auch niemand krank werden. Um 1865 sah das so aus: Um eine mehrköpfige Familie an einem Tag aller einfachst zu ernähren, waren 100 Kreuzer nötig. Die Familie erwirtschaftete aber, wenn alle Arbeit hatten, gerade 99 Kreuzer. Der Vater bekam als Fabrikarbeiter 30 Kreuzer, der älteste Sohn, ebenfalls Arbeiter, 36 Kreuzer. Die Tochter als Arbeiterin bekam 18 Kreuzer und die Mutter als Heimarbeiterin (Strohflechten, Besenbinden, künstliche Blumen binden und Kleidung ausbessern – Schneidern durfte sie nicht, das ließ die Zunft der Schneider nicht zu) erwirtschaftete immerhin 15 Kreuzer, obwohl sie gleichzeitig noch vier kleine Kinder versorgte.

Glücklich konnte sich schätzen, wer einen Nebenerwerb im Dorf ergattern konnte: als Feldschütz, Nachtwächter, Heimbürge (Gemeindepfleger). Für die Frauen blieben Hebamme, Leichensägerin (sie »sagte« von Haus zu Haus eine Beerdigung an) und Leichenschauerin. All diese Ämter brachten ein paar Groschen und ein Vesper bei der Amtsausübung ein.

Kein Wunder also, dass die Mädchen als Dienstboten »ens Deähna« zu Stuttgarter Bürgerfamilien weg vermittelt wurden – ein Esser weniger am Tisch. Bis 1918 galt die württembergische Gesindeordnung, die besagte, dass dem Dienstherrn unbedingt gehorcht werden musste. Ihm war laut Gesetz sogar die körperliche Züchtigung seiner Dienstboten ausdrücklich erlaubt. Kein Wunder auch, dass den anreisenden Mädchen bereits auf dem Stuttgarter Bahnhof von Zuhältern aufgelauert wurde. Dagegen gingen gestandene Stuttgarter Bürgersfrauen aus den evangelischen Frauenkreisen auf die Bahnsteige des Stuttgarter Bahnhofs, wenn nach Martini die Züge mit den jungen Mädchen ankamen, die vom Land kommend nun ihre erste Stellung als Dienstmädchen antraten. Bahnhofsmission und Au-pair-Betreuung sowie der Verein für internationale Jugendarbeit haben hier ihre Wurzeln.

Weil es viel zu wenig Männer gab – die vielen Kriege und Zwangsaushebungen ließen sie verschwinden, zudem verkaufte der Herzog im 18. Jahrhundert ganze Regimenter nach Nordamerika, um an Geld zu kommen –, gab es auch einen Überschuss an unverheirateten Frauen. Die aber waren rechtlos, weil sie allein ohne Ehemann oder Vormund nicht einmal eine rechtsgültige Unterschrift leisten konnten. Wo keine Verträge, da auch keine Geschäfte. Hier setzten im 19. Jahrhundert die ersten Diakonissenmutterhäuser an, nahmen die Frauen lebenslang auf, gaben ihnen Arbeit und kleideten sie in der Tracht von verheirateten ehrenwerten Bürgersfrauen mit Haube. Hier kamen die allein lebenden Frauen »unter die Haube« – und wurden in ihrer bürgerlichen Kleidung voll anerkannt.

So schauten die ersten diakonischen Initiativen nicht nur nach den Opfern in der Gesellschaft, sondern sorgten auch für den nötigen Respekt gegenüber ihren Mitarbeiterinnen in der damaligen bürgerlichen Gesellschaft – mit der Haube der Diakonissen.

’S schwäbische Schibboleth

[’s schwɛbische schibo:let]

Sprachunterschiede der Konfessionen

Die Schwaben erkennt man an ihrer Zunge – selbst dann, wenn sie schon seit fünfzig Jahren ausgewandert sind und in den USA, Australien oder sonst wo die dortige Sprache sprechen. Das Schwäbische geht einfach nicht verloren. Das gilt auch für andere Sprachen. Reden Engländer vom Ungeheuer im Loch Ness, sprechen sie von »Lock Ness«. Sie können kein »ch« sprechen. Schotten schon – sie sprechen von »Loch Ness« und beschwören, dass sie das Ungeheuer wirklich gesehen haben. Ein solches nicht überwindbares Sprachhindernis nennen Sprachwissenschaftler ein »Schibboleth« und greifen damit auf das Alte Testament zurück. Im Buch der Richter (Richter 12,1ff.) wird beschrieben, wie die Israeliten die Ephraimiten eingekesselt hatten. Nur eine schmale Furt blieb ihnen zur Flucht. Wollte einer fliehen, musste er das Wort »Schibboleth« als Losungswort sprechen. Nur – die Ephraimiten konnten kein »Sch« sprechen, also sagten sie »Siboleth«, waren erkannt und wurden erschlagen.

Die Schwaben haben auch ihr »Schibboleth«. Bis vor wenigen Jahren war das noch eindeutig, heute ist es schon ein wenig verwaschen: Die Aussprache von Leben und Seele kennzeichnete sie als Evangelische oder Katholische. »Leben« und »Seele« ist urschwäbisch – aber so sprechen nur die Katholiken. Die Evangelischen sagen »Läben« und »Sähle«. Einmal gehört und schon wusste man, aus welchem Gesangbuch der andere sang.

Die alten Schwaben sprachen alle alemannisch. Schon im 13. Jahrhundert begann eine leichte Mundartverschiebung. Das alte »i« wurde zu »ei« und aus dem »u« wurde ein »au«. Richtig los ging diese Sprachverschiebung gegen 1500 in Augsburg. Im Nördlinger Ries ging sie weiter, wanderte nach Ulm, dann mit dem Bauernkrieg sprach man in Füssen, Nesselwang, Oberdorf, Kaufbeuren das heutige Schwäbisch. Über die Ulmer Alb, das Blautal, die Rems hinunter drang die Lautverschiebung ins Altwirtembergische bis ins Hegau und in die Baar. Nur bis ins Oberrheinische kam sie nicht.

Der Grund dafür war die Reformation. Hier hatte Huldrych Zwingli den ersten großen Einfluss auf die Sprache. Die freien Reichsstädte schlossen sich als erste der Reformation an und waren den Züricher Reformatoren wohl gesonnen. Die Städte und damit die Verkehrsströme blieben dem alten Alemannisch erhalten – was damals identisch war mit »schwyzerdütsch«. Dort gab es die Lautverschiebungen nicht. Ab 1550 eroberte das neue Schwäbisch keine Landstriche mehr, war aber so kraftvoll, dass es auch keine sprachlichen Eroberungen verlor.

Die Reformation war in Baden und Württemberg eine ernste Sache, und die Menschen erkannten sich an ihrer Sprache. So entwickelten sich ab 1550 das Alemannische und das Schwäbische auseinander. Das, was man heute alemannisch nennt, ist nichts anderes als das alte Schwäbisch der Hohenstauferzeit – das Schwäbisch der Minnesänger etwa.

Die freien Reichsstädte waren zwinglianisch gesonnen, Württemberg aber lutherisch. Nun kam noch eine Besonderheit dazu, auch wenn es dem württembergischen Reformator Johannes Brenz gelang, die Theologie von Luther und Zwingli, die wie These und Antithese gegeneinander stand, sozusagen in der Synthese der Brenz'schen Christologie auf einer höheren

Stufe miteinander zu versöhnen. Eine typisch schwäbische Denkweise also!

Zum schwäbischen Schibboleth kam es während der Reformation, als die schwäbischen Herzöge Ulrich und Christoph händeringend nach Predigern suchten. Da sie das Luthertum förderten und den Zwinglianismus zurückdrängen wollten, stellten sie vermehrt Prediger ein, die in Wittenberg bei Martin Luther und seinen Anhängern studiert hatten. Im Klartext: Es kamen immer mehr sächsische Pfarrer nach Württemberg. Und die sagten eben nicht schwäbisch »Seele« und »Leben«, sondern sprachen von der »Sähle« und dem »Läben« – und ihre Schäfchen sprachen es ihnen nach.

So kam es, dass die Evangelischen bald anders redeten als die Katholiken und dass die Bewohner der freien Reichsstädte, umringt von Württembergern, so sprachen wie ihre evangelischen Glaubensgenossen außerhalb der Stadtmauern. Wenn das über Jahrhunderte gepflegt wird, wird es kulturbildend.

Da die katholischen Gebiete meist habsburgisch waren, kamen sie erst 1806 zu Württemberg. In ihrer Sprache kann man das noch heute hören.

»G'stäubt wegen oiner Nuss«

[gschteubt vegŋ eunɘ nus]

Kindererziehung und Kinderarbeit

»Meine Eltern haben mich so hart gehalten, dass ich darüber ganz verschüchtert wurde. Meine Mutter stäubte mich einmal wegen einer einzigen Nuss, dass mir dabei das Blut kam. Durch ihre strenge Erziehung trieben sie mich schließlich ins Kloster, wiewohl sie es herzlich gut mit mir meinten.« Martin Luther hat das einmal bei seinen Tischreden erzählt, seine Studenten, die Kostgänger in seinem Hause waren, haben es unter dem Tisch mitgeschrieben und veröffentlicht. Kinder zu schlagen, und war der Anlass auch noch so gering, war früher allgemein üblich. Früher waren Kinder keine eigenen Persönlichkeiten, so etwas wie eine »kindliche Seele« gab es nicht. Das haben erst Pietismus und Aufklärung entdeckt und deshalb auch die Pädagogik, die Wissenschaft, Kinder recht zu erziehen, entwickelt. Erst seit dem 17. Jahrhundert wurden Kinder als eigenständige, wenn auch noch unfertige und daher formbare Individuen wahrgenommen. Bis dahin war man erst Mensch ab der Konfirmation oder Firmung. Und dann gleich Erwachsener. Adoleszenz, die Zeit als Jugendlicher zwischen Kindheit und Erwachsenenwelt, gab es nicht.

So lebten die Kinder in der Großfamilie und wurden irgendwie mit aufgezogen und zugleich mit eingesetzt: Kinderarbeit war selbstverständlich. Bei der Garten- und Feldarbeit waren sie mit dabei, größere Geschwister hatten auf die Kleineren aufzupassen. Viele Mütter starben schon in frühen Jahren im Kindbett. Es war keine Seltenheit, dass ein Mann bis zu dreimal verheiratet war. Auch die Kindersterblichkeit war hoch, und so wurde immer wieder der Tod eines Geschwisters erlebt und beklagt.

Aus Tirol kamen im 19. Jahrhundert die »Schwabenkinder« nach Oberschwaben. Die armen Tiroler Bergbauern ließen regelmäßig ihre 10- bis 16-jährigen Kinder im Frühjahr nach Schwaben ziehen, weil die Bergdörfer die Familien nicht mehr ernährten. Die Fremde war allemal besser als der Hungertod. So zogen die Kinder nach Ravensburg, wo sie auf dem Markt ihre Fähigkeiten anboten und von den Bauern als Hütejungen und Dienstmädchen begutachtet und »eingekauft« wurden – ein echter Menschenmarkt. In einer Lebensgeschichte von 1858 beschreibt ein Tiroler seine Jugend so: »Etwas unternehmend veranlagt, wollte ich zwölfjähriger Franzl im Frühjahr 1858 auch mit anderen Schulgenossen in das Schwabenland gehen, um ganz besonders dem verhassten Wurzelklauben in der Furche hinter dem Pfluge zu entkommen. Konnte ich in Schwaben doch einen Lohn in Barem und hohe Stiefel verdienen und nebenbei noch Schwäbisch lernen.« Ausbeutung und Vergewaltigung waren keine Ausnahme, und manches Mädel kam schwanger in die Tiroler Heimat zurück, um dort ausgestoßen zu werden, denn die katholische Ordnung konnte mit den »gefallenen Mädchen« nichts anfangen.

In ländlichen Gegenden wurden die Kinder selbstverständlich zum Hüten des Viehs eingesetzt. Kleine Kinder fingen mit den Gänsen an, wurden die Kinder größer, mussten sie auch mehr Verantwortung übernehmen. Ein Hütejunge beschrieb das 1843 so: »Kaum hatte ich die Schwelle der Schule übertreten, so gestaltete sich das Verhältnis gegenüber den Tieren ernst: ich wurde ihr Hirt, und die jungen Gänslein bildeten meine Herde ... Es war dies mein erster Posten, den man mir anvertraute. Er brachte nicht mehr als einige Püffe, im übrigen aber hatte ich bereits das nötige Selbstbewusstsein und fühlte es, dass ich ebensoviel oder gar noch etwas mehr bedeutete als eine Vogelscheuche ...«

Die Großfamilie war selten so intakt, wie man sich das heute vorstellt. Der frühe Tod der Mütter im Kindbett, ständige Kriege und deren Verwüstungen, Epidemien und nicht zuletzt politische Wirren und Zugehörigkeiten wirbelten immer wieder die Familien durcheinander.

Überhaupt brach bereits mit der Industrialisierung im 19. Jahrhundert die ideelle Struktur der Großfamilie auseinander. Nun begann das Zeitalter der Kleinfamilie im Bürgertum und im aufkommenden Proletariat. Im Bürgertum wurden die Kinder von Hauslehrern und Dienstmädchen versorgt, im Proletariat mussten sie in den Fabriken und Bergwerken mitarbeiten, um der Kleinfamilie buchstäblich das tägliche Brot zu erwerben. Anders hätten die Familien nicht überlebt. Dieses Familiensystem, das keine Reserven kannte und hatte, brach zusammen, wenn der Haupternährer ausfiel, keine Arbeit mehr da war oder Seuchen jede Existenzplanung zerstörten. Da blieb nur die Flucht in die schnell wachsenden Städte, in denen man sich allein durchschlagen musste.

Im 19. Jahrhundert gab es immer wieder Bürgerliche und Adelige, die versuchten, Abhilfe zu schaffen. Die einen gründeten die Arbeiterbewegung, um neue Strukturen gegen Armut und Verelendung aufzubauen (etwa Ferdinand Lassalle, August Bebel, Christoph Blumhardt) oder individuell Abhilfe zu schaffen, indem sie christliche Einrichtungen gründeten; Gustav Werner wäre hier zu nennen. In Württemberg waren dies insbesondere die Königinnen Katharina, Olga und deren Nichte Wera, alle drei Zarentöchter aus Russland.

2004 wurde aus Anlass ihres einhundertfünfzigsten Geburtstags dabei besonders das Werk von Herzogin Wera von Württemberg, Großfürstin von Russland, hervorgehoben. Sie kümmerte sich unter anderem um das Waisenhaus in Stuttgart, half dem aufkommenden CVJM, unterstützte in schwierigen Phasen das Olgastift und stiftete das Weraheim für ledige Mütter.

Ohne diese drei Zarentöchter aus Russland wäre es um das Entstehen der Diakonie in Württemberg schlecht bestellt gewesen.

Bloß verheiratet »isch ma' ebbes wert«!

[blo:s ferheiradet isch mɘ ɛbɛs wert]

Lebensform »Ehe«

Poppenweiler 1788: »Jakob N. und seine Frau sind vorgeladen wegen neuer Ehestreitigkeiten. Die N. clagt: Ihr Mann habe ihr wegen geringer Ursach gleich morgens Ohrfeigen gegeben, sie in der Küche zu Boden geschmissen, an den Haaren hinausgezogen.«

Korb 1829: »Die Ehefrau des Hinrich K. hat beim Pfarramt angezeigt, dass sie gesonnen sei, ihren Ehemann zu verlassen. Wenn ich ihn auffordere zu beten oder wenn ich selber bete, wirft er mir das Buch auf den Boden mit den Worten: Das bringt mir kein Brod. In der sechsten Woche nach der Niederkunft hat er das Kind und mich auf den Kopf geschlagen. Ich muss täglich um mein Leben fürchten.

Wir (der Kirchenkonvent) fordern sie auf, wieder zu ihren Pflichten als Ehefrau zurückzukehren.«

Das sind nur zwei von vielen Beispielen aus Protokollen des Kirchenkonvents. Unter Vorsitz des Ortspfarrers tagte der Kirchenkonvent monatlich in jeder Gemeinde und war so etwas wie die untere Gerichtsbarkeit, Sozial- und Standesamt in einem Gremium. Hier wurde über Zucht und Ordnung ebenso gewacht wie über die Kirchenkasse, aus der zugleich die Armen und Kranken versorgt wurden, »der Heilige« genannt.

Gedanken über andere Lebensformen machte sich (beinahe) niemand. Die Ehe galt als gottgewollt, wurde nicht in Frage gestellt, und bei jeder Verfehlung wurden die Eheleute, so sich jemand in seiner Not an den Kirchenkonvent wandte – das taten fast immer nur Ehefrauen – ermahnt und zurechtgewiesen. Die Ehe sollte zur Versorgung der Männer, Kinder und des Viehs dienen und die Ehefrauen hatten sich in diese Aufgabe einzufinden. Wörter wie »Liebe« und »Vertrauen« finden sich nicht in den alten Kirchenprotokollen. Sich zu verlieben war auch fremd, denn meist entschieden schon die Väter über die Konfirmanden, wer wem »versprochen« wurde – Hauptsache war, »das Sach'« blieb zusammen oder vermehrte sich sogar. Hier hat auch der uralte schwäbische Witz seine Begründung, in dem ein junger Schwabe gehänselt wird, weil seine frisch angetraute Ehefrau so »granata-schiach« aussieht. Seine Antwort, die alle Zuhörenden verstanden: »Schönheit vergeht, aber Hektar bleibt Hektar!«

Da Gefühl und Liebe, Vertrauen und Zuneigung nur selten in der Ehe vorkamen, blieben manche Frauen lieber allein. Das aber wurde von der Dorfgemeinschaft und von der Obrigkeit nicht gern gesehen. Da eine solche Frau sich selbst um ihr eigenes Brot kümmerte, wurde sie als »Eigenbrötlerin« verunglimpft und besonders beobachtet. Und deshalb immer wieder vor dem Kirchenkonvent angezeigt, wo sie sich dann zu verantworten hatte und zur Ehe – meist wurden ihr die Witwer angetragen – gedrängt wurde. Daneben konnte sich die damalige Gesellschaft keine anderen Lebensformen vorstellen, sieht man einmal von den Soldaten in den Kasernen und den wandernden Handwerksburschen ab, die genau »drei Jahre und einen Tag« auf der Walz sein mussten.

War man in der württembergischen Gesellschaft darüber hinaus noch arm, krank oder beides oder sogar psychisch krank, dann hatte man ein schweres Los. Denn entweder versorgte einen die Großfamilie und trug einen so irgendwie mit, oder man fiel der Gemeinschaft zur Last, die dann schnellen Prozess machte. Die ganz Armen wurden im Armenhaus eine gewisse Zeit mitversorgt und zu Aufgaben der Gemeinde herangezogen. Änderte sich nichts, wurde ihnen die Überfahrt nach Amerika bezahlt und sie wurden damit ausgewiesen. Im 19. Jahrhundert waren die USA das »gelobte Land«, und die Auswanderer wussten genau, dass dies ihre letzte und zugleich einmalige Chance war.

Diese alten Normen hielten sich noch lange. Als meine Großeltern 1902 heirateten, war diese Hochzeit in meinem Dorf eine Sensation. Denn beide hatten eine Liebesheirat gegen den Willen der Eltern durchgesetzt. Mein Großvater arbeitete als Schreinergeselle jeden Tag vor der Werkstatt. Meine Großmutter war »em Deähna« bei Honoratioren und kam jeden Tag mehrmals an der Schreinerei vorbei. Er sprach sie an. Sie blieb stehen. Das geschah jeden Tag. Dann führte er sie aus und fragte sie: »Dätsch du mi au mega, in dem Fall, dass i die mega dät?« – das ist die klassische schwäbische Form des Heiratsantrages, bei dessen Ablehnung man sein Gesicht nicht verlieren kann, zugleich eine sprachlich dialektische Meisterleistung! Doch sie hat »Ja« gesagt – die Eltern wurden erst danach gefragt. So hat 1902 eine kleine Revolution stattgefunden.

»No nett tod, ond scho goht d’Verschwendung los!«

[no nət to:t, ond scho go:d d´ferschwεnduŋ lo:s]

Übers Sterben

Ein alter Schwabe liegt im Sterben. Um sein Sterbebett herum versammelt sich seine Familie. Weil es doch nicht so einfach mit dem »Übergänglein« ist und die Mittagszeit vorbeigeht, bringt seine Frau den Familienangehörigen Butterbrezeln. Der Sterbende sieht die Butter mit Argwohn: »So isch’s no au wieder. No nett tod, ond scho goht d’Verschwendung los!«

Die Pietisten sprachen vom »Heimgehen«, von der »Auflösung« oder vom »Übergänglein«. Den meisten Schwaben war es dennoch nicht geheuer. Trotzdem gab es eine gewisse Todessehnsucht, aus dem irdischen Jammertal endlich erlöst zu werden. Der Stiftsprediger Johann Heinrich Hedinger drückte es in einer Predigt so aus: »Oh liebe Todeskammer, eröffne mir die Tür! Ich klopfe mit dem Hammer und sehne mich nach dir.« Das war keineswegs komisch, sondern ein allgemeines Lebensgefühl. Man war »übernächtig« bereit – also darauf gefasst –, dass es jede Nacht zu Ende gehen oder das Jüngste Gericht anfangen könnte. »Mer muaß hause ufs ewich Lebe und bete ufs glei Schterba«, hieß es damals. Und man stellte sich darauf ein.

Wenn einer starb, geschah das zu Hause. Oder man hatte kein Zuhause, war auf der Wanderschaft oder bettelarm im Armenhaus oder Spital. Dann wurde man einfach entsorgt. Der Totengräber holte einen ab, und zur Sicherheit wurde man an der Friedhofsmauer beerdigt – sang- und klanglos.

Starb man zu Hause im Kreise der Familie, hatte das Sterben eine gewisse Würde und wurde von Furcht und Schrecken vor dem Toten begleitet. Trat der Tod ein, wurden sofort die Spiegel verhängt und im Totenzimmer ein Fenster geöffnet. Dies sollte sicherstellen, dass sich die Seele nicht im Spiegel sehen konnte und deshalb als »Widergänger« auf Erden blieb. Das offene Fenster sollte garantieren, dass die Seele auch das Haus verlassen konnte – sonst würde sie spuken. Württemberg war schon immer an Aberglauben reich gesegnet. Gerade beim Umgang mit den Toten haben sich bis in die fünfziger Jahre hinein viele Bräuche erhalten. Wenn dann am Tage der Beerdigung der Tote aus dem Haus getragen wurde, musste man dafür sorgen, dass er mit den Füßen voraus hinaus getragen wurde, damit wollte man die Rückkehr als Geist verhindern. Am Beerdigungstag durften die Sargträger in manchen Gegenden ihre Stiefel nicht putzen, weil sonst im Glanz der Stiefel die Seele hätte hier bleiben können, was wiederum Unglück gebracht hätte. Sobald der Sarg aus dem Haus getragen war, wurden Hocker, Stühle – einfach alles, auf dem der Sarg gestanden hatte – umgeworfen und zum Teil auch verbrannt. Der Tod sollte nicht darauf sitzen bleiben. So haben alle Gegenden Württembergs ihre speziellen Riten im Umgang mit den Toten über lange Zeit hin bewahrt und sind bis heute Quell und Freude der Volkskundler. Nüchtern muss man sagen: Die Ehre vor der Würde eines Toten war oft nichts anderes als die Angst vor schlimmen Folgen – denn Tote könnten ja als Geister spuken, also als »Widergänger« wieder kommen und die Hinterbliebenen bei der Neuordnung des Lebens und ihrer Beziehungen empfindlich stören.

»D'Einnähere kommt« war im 18. Jahrhundert das Signal, dass die Leichenfrau ins Haus kam. Särge wurden damals nicht verwendet, da sie zu teuer waren. Man wickelte die Leichen in Leinwand und band sie mit Binden zusammen. In der Regel machten das die Frauen, die auch als Hebammen arbeiteten. Langsam wurde erkannt, dass es auch hygienische Gründe für die hohe Kindersterblichkeit in Württemberg gab. Eine königliche Verordnung von 1811 verbot den Doppelberuf. Daher wurde die Leichenschau immer mehr von den Männern übernommen. Den Frauen blieb nur noch die Aufgabe der Mitteilung des Todesfalls. Aus den »Einnäherinnen« wurden die Todesbotinnen. Schwarz gekleidet kamen sie daher und trugen einen leeren Weidenkorb mit sich. Sie kamen ins Haus, »d'Klag verkünde«.

Die dieses hörten, wussten nun, dass sie im Leichenzug ganz vorne mitlaufen konnten, ein Jahr lang Trauerkleidung zu tragen hatten, keinen Wirtshausbesuch und keinen Tanz mehr aufsuchen konnten, aber dafür vermutlich unter den Erben waren. Also legten sie Brot und Gsälz (Marmelade) in den Weidenkorb. Wollten sie mehr über den Todesfall wissen, mussten sie auch mehr in den Korb legen. Mit Eiern, Schmalz oder Mehl wurde die »Leichensägerin«, wie sie nun hieß, immer gesprächiger. Keine Sorge, ihr Name kam nicht vom Sägen, sondern vom Ansagen der Beerdigung, »d'Leich«.

Weil es keine Altersrenten gab, war es für Witwen durchaus lebensnotwendig, sich um das Amt der »Leichensägerin« zu bewerben. Sie wurde in der Gemeinde gewählt und hatte mit ihrem Amt genug Materielles zum Überleben. So lief sie als »heulendes Elend« in der Gemeinde umher (so ein Spottvers aus dem 19. Jahrhundert), aber dafür hatte sie Schmalzhafen, Soleier und die Mehlkiste gefüllt. »S'Brod mittem Tod« oder: Was dem einen seine Eule, ist dem anderen seine Nachtigall.

Waldmenscha

[waldmenschɘ]

Armut erschafft auch Krimis

Armut hat viele Gesichter. Armut hat auch viele Wurzeln. Und Armut hat Folgen. Von den Menschen, die in ihrer Armut noch die Kraft hatten, sich zu entscheiden und neue Wege zu begehen, haben wir immer wieder gehört: Sie wanderten aus. So wurden im 18. Jahrhundert Russland, die Batschka und das Banat zu begehrten Zielen und im 19. Jahrhundert dann Amerika.

Die meisten Armen aber blieben im Land und schlugen sich mehr schlecht als recht durch. Sie hausten im Wald, bettelten sich durch die Dörfer, zogen umher, versuchten sich als Tagelöhner. Sie gingen unter die Soldaten, wenn sie jung und einigermaßen gesund waren. Aber wenn sie alt und krank waren, blieb ihnen nur der Tod. So sind die Kirchenbücher der damaligen Zeit voll von im Wald und an Kreuzwegen tot aufgefundenen Menschen, die dann auf Gemeindekosten mehr verscharrt als ordentlich begraben wurden, aber immerhin ein christliches Begräbnis bekamen und im Kirchenbuch namenlos vermerkt wurden. Denn Ordnung musste sein.

Nicht wenige schlossen sich zu Banden zusammen und machten das Land unsicher. Allein im Jahr 1819 waren in Württemberg genau 2.726 Menschen namentlich bekannt, die nur von Raub und Diebstahl lebten und überall gesucht wurden. Bis 1890 etwa waren die Wälder zwischen Göppingen und Geislingen so berüchtigt, dass sich kein Mensch mehr nach Einbruch der Dunkelheit auf den Weg zwischen den Dörfern machte – das Land am Albtrauf gehörte nachts den »Waldmenschen«.

So war der aus dem Odenwald stammende Johann Bückler, genannt »Schinderhannes«, legendär, der mit seiner Bande auch immer wieder nach Württemberg einbrach. Er entsprach keineswegs dem Film aus den fünfziger Jahren, der ihn verklärte. Seinen Namen trug er zu Recht.

Am 17. Juli 1787 wurde in Sulz am Neckar Jakob Reinhard, genannt Hannikel, am Galgen hingerichtet. Diebstahl und Gewalt waren sein Handwerk. Seine Bande zog durchs Land und hinterließ überall Spuren in den Gerichtsakten: Plüderhausen, Oberamt Schorndorf, Zaberfeld im Oberamt Brackenheim, Freudenstadt, Aichhalden im Oberamt Calw – überall Einbrüche, Verwüstungen und Diebstähle. Sie nahmen alles mit, was sich woanders wieder als Hehlerware verkaufen ließ. Erst nach dem Mord an einem herzoglich württembergischen Grenadier zu Pferde griff die Obrigkeit entschieden durch. Hannikel wurde gefasst und zum Tode verurteilt. Als er den Schuldspruch vernahm, gab er zu Protokoll: »Das ist zu viel, das habe ich nicht verdient! Ich bin mehr ein Beschützer als ein Verderber des Württemberger Landes gewesen, habe ja meistens nur die Juden bestohlen und geplagt, und das hielt ich für keine Sünde!«

Xaver Hohenleiter hieß der Bandenchef aus Oberschwaben mit bürgerlichem Namen, der dort bis heute bekannt ist unter dem Namen »der Schwarze Veri«. Er und seine Leute misshandelten bei einem Raubüberfall »während der Gottesdienstzeit« (was bei Gericht als erschwerend gewertet wurde) eine Witwe so sehr, dass sie kurz darauf an ihren Verletzungen starb. Nachdem sie die einzeln stehenden Gehöfte im Oberschwäbischen immer häufiger ausraubten, wurde das Militär eingesetzt. In einem Wald bei Saulgau wurden sie gestellt und verhaftet. Der Schwarze Veri wurde in den Gefängnisturm in Biberach gesteckt. Nach einem gescheiterten Fluchtversuch wurde er gefesselt und an eine Kette gelegt, die von außen am Turm in die Zelle hineinführte. Genau in diese Außenseite schlug am 20. Juli 1819 der Blitz ein und tötete den Schwarzen Veri. Die Geschichte von seinem Tod ging durchs Land. Es gab keinen Wirtshaustisch, an dem diese Geschichte nicht erzählt wurde.

Das war der Stoff, aus dem Legenden entstehen. So nahm sich der Biberacher Maler-Romantiker Johann Baptist Pflug der Geschichte an und zeichnete sieben Bilder mit Szenen aus dem Leben der Bande. Sie wurden ab 1840 im »Ulmer Landboten« abgedruckt und sorgten dafür, dass der nun bald als »schwäbischer Robin Hood« berühmte Schwarze Veri idealisiert und zum »Helfer der Armen« hochstilisiert wurde. Die Leute liebten diese Legende – auch wenn sie mit der Wahrheit nichts zu tun hatte.

Er war nicht der Einzige, der so zu Nachruhm kam. Die Menschen erzählten sich Geschichten vom Fidelis Gindele, der unter seinem Namen »Der Große Metzger« 1821 in Gotteszell an Unterernährung starb. Die Geschichten vom »Bregenzer Seppel« und vom »Schleiferstoni« kannten die Kinder genauso wie die vom »Bairischen Hiesel« und vom »Constanzer Hans«. Die Geschichten vom Hannikel wurden noch 1867 von einem anonymen »höheren Gerichtsbeamten« in Buchform veröffentlicht und so zum Bestseller.

Über alle gibt es bis heute Gerichtsakten, und alle haben eines gemeinsam: Die Anführer und ihre Bandenmitglieder stammten aus bettelarmen Verhältnissen, kamen mit den ständigen Unsicherheiten der vielen Kriegsjahre nicht zurecht, fassten nirgends Fuß und wurden kriminell.

Und alle wurden in späteren, sicheren Zeiten zu Helden der armen Leute, auch wenn keiner je etwas für andere Arme übrig hatte und keiner eines natürlichen Todes starb.

Menschen lieben Legenden, nicht die Wahrheit.

Vom »Zusammenschlupfen«, von »Verehrungen« und Mord

Wo beginnt die Kriminalität?

Als man den reichen Esslinger Amandus Marchthaler in Stuttgart auf der Esslinger Steige in seinem Blut fand, war klar, dass er ermordet worden war. Zwei Jahre nach dem Mord erkannte in einer Esslinger Weinstube einer der Zecher am Finger des Postreiters Michael Banhard einen Ring, den einst Marchthaler besessen hatte. Der Fall war klar. Obwohl der Postmichel, wie man ihn nannte, beteuerte, dass er den Ring auf der Esslinger Steige am Tage zuvor im Gras habe blitzen sehen und er ihn gefunden habe, wurde das Urteil gefällt: Tod durch das Schwert. Bevor der Scharfrichter es vollstreckte, gab der Postmichel dem jungen Erben von Marchthaler noch ein Versprechen: »Jedes Jahr werde ich in der Michaelisnacht erscheinen und auf meinem Posthorn blasen, bis der Schuldige entdeckt wird, denn ich bin unschuldig!« Und so erschien der Sage nach in jeder Michaelisnacht im September der Geist des Postmichels, trug den Kopf unterm Arm und blies auf seinem Horn eine lustige Melodie – bis nach vielen Jahren der einstige Erbe sein schlechtes Gewissen nicht mehr aushielt und in der Beichte gestand, dass er seinen Onkel selber umgebracht habe, um an das Erbe zu kommen. Nach dieser Beichte erschien der Postmichel nie wieder.

Solche Geschichten gibt es viele im alten Württemberg, denn ungesühnte Straftaten gab es reichlich und sie lieferten Anlass zu Sagen und Legenden. In der angeblich so guten alten Zeit war es geradezu schwer, nicht kriminell zu werden. Zum einen, weil die Obrigkeit in Schwaben alles regelte und reglementierte, was sie nur konnte, zum anderen, weil die Leute bettelarm waren. »Wenn die Armut die Mutter der Verbrechen ist, so ist der Mangel an Geist ihr Vater«, sagt nicht umsonst eine französische Redensart.

Passte schon die Obrigkeit durch den Schultheiß und seinen Büttel auf, half der Pfarrer zusätzlich mit. Die »Kirchenkonvente«, zuständig für Moral und bürgerliche Ordnung, tagten regelmäßig. Wer zum Beispiel nicht zum Gottesdienst erschien oder seine Kehrwoche nicht sauber erledigte, musste eine Geldstrafe zahlen. Überwacht wurde das durch die »Kirchenumgänger«, also die Kirchenpolizei. Gleich nach der Predigt kam der Pfarrer in die Sakristei und nahm die Meldungen entgegen. Fatalerweise bekamen die Umgänger ein Drittel des Geldes, das die angezeigten Mitbürger als Strafe zahlen mussten. Weil die Hausschlüssel während des Gottesdienstbesuches bei ihnen abzuliefern waren, waren der Schnüffelei in Schwaben buchstäblich Tür und Tor geöffnet.

Besonders streng, aber auch vergeblich, wie die Taufbücher bezeugen, ging es beim Thema »Zusammenschlupfen« der jungen Leute zu. Denn diese hatten früher keine Möglichkeit, sich ungestört zu treffen. Die württembergischen Hochzeitsgesetze waren streng: Der Armut, so hieß das damals, sollte die Möglichkeit genommen werden, sich zu verehelichen oder sich gar zu vermehren. Wer heiraten wollte, musste nachweisen, dass er ein unbescholtener und sparsamer Bürger war, fähig zum Betrieb eines Gewerbes, eigenes Handwerkszeug besaß und ein Vermögen von 100 bis 200 Gulden hatte. Da aber in Württemberg die Realteilung galt, war das mit dem Vermögen so eine Sache. So kam es vor, dass viele Paare »in der Schand« lebten und erst nach dem dritten oder vierten gemeinsamen Kind heiraten durften. Um die Mitte des 19. Jahrhunderts wurde jedes siebte Kind in Schwaben unehelich geboren, während im »verruchten und sittenlosen« Frankreich nur jedes 13. Kind unehelich war.

Kam ein Kind zu früh auf die Welt oder gar »ledig«, stand ein Tag Ortszuchthaus an. Da saß dann das arme Mädle, während draußen die Oma den Anlass für die Strafe im Wägelchen vorbei fuhr. Zudem wurde man zum Pfarrer bestellt und durfte sich beim nächsten Sonntagsgottesdienst in der ersten Reihe eine eigene Strafpredigt anhören. In Ulm etwa gab es dafür extra »Lästerstühle«, auf denen die Unmoralischen während des Gottesdienstes außerhalb der Bankreihen zu sitzen hatten. Die Kirchenkonvente wurden erst 1891 abgeschafft. Soviel zur »guten alten Zeit«.

Auch das Fluchen war unter Strafe gestellt: Beim ersten Mal musste einem der Wirt 15 Kreuzer abnehmen. Tat er es nicht und wurde er selbst dafür angezeigt, musste er für den Fluch des Gastes zahlen. Der zweite Fluch kostete bereits 30 Kreuzer, einen halben Taglohn. Wer nicht zahlen konnte, wanderte ins Ortszuchthaus, meist das Feuerwehrhäusle.

Neben all den Regeln und Gesetzen, die sogar die Kleidung und die Mode regelten (wehe dem Mädchen, das farbige und nicht schwarze oder weiße Bänder trug), gab es noch andere Möglichkeiten, sein Geld los zu werden: Ohne Schmiergeld ging gar nichts. So finden sich in den alten Dorfrechnungen und Haushaltsaufstellungen regelmäßig »Neujahrsverehrungen« mit ordentlichen Summen, eine schöne Umschreibung für das jährlich zu zahlende Schmiergeld an die höheren Beamten. Auch wenn sich das württembergische Landrecht 1821 ausdrücklich gegen die üblichen »Schmieralia« einsetzte, bekam selbst mancher Vikar im 19. Jahrhundert nur dann eine Pfarrstelle, wenn er dem Herrn Dekan zu beim Finanzamt nicht deklarierten Nebeneinkünften verhalf. Das ist nachzulesen bei

Carl Theodor Griesinger in seinem auch heute noch lesenswerten Buch »Silhouetten aus Schwaben«.

Die Themen von einst sind nicht mehr die Themen von heute. Steuerhinterziehung, Parteispenden, Schwarzarbeit, Konten in Luxemburg und in Liechtenstein werden als Bagatellfälle diskutiert. Wer sein privates Büro und seine Werkstatt zu Hause mit Druckerpatronen und Kombizange aus seiner Arbeitsstelle versorgt (übrigens: Diebstahl!) – ist der etwa schon kriminell? Ach ja, aber wenn ein Sozialhilfeempfänger im Supermarkt Joghurt klaut, dann muss die Schärfe des Gesetzes angewandt werden!?

»Verdruckt henter d'r Mischde«

[ferdrukt hεndε dɘ mischdε]

Von Mistehockern und Schwaben in aller Welt

Es gibt zwei Sorten von Schwaben. Die einen sind überall zu finden. Egal, wohin man kommt in der Welt, ein Schwabe ist schon da und hat ein Geschäftle gegründet, hat aber trotzdem Heimweh und erklärt einem, warum man mit amerikanischem Mehl keine Spätzle schaben kann. Die anderen: sitzen wie eh und je im Heimatdorf und bewegen sich keinen Millimeter hinter der eigenen Miste hervor. Auch geistig und geistlich nicht. Da bewegt sich einfach nichts, und man ist auch noch stolz darauf.

Schwaben war wirklich einmal der Nabel der Welt, wenn auch im achten Jahrhundert. So wurde im frühen Mittelalter das Kloster Reichenau genannt. Im Jahre 2000 wurde die Bodenseeinsel Reichenau ins Weltkulturerbe erhoben – die Kirchen des ehemaligen Klosters legen heute noch Zeugnis von der einstigen Bedeutung ab.

Bereits die Staufer zogen hinaus in die Welt. Zwischen 1137 und 1250 war die Weltgeschichte geprägt durch die ständigen Konflikte zwischen Stauferkaisern und Päpsten. Als sich das umbrische Gubbio gegen Kaiser Barbarossa erfolgreich wehrte – in Italien wurde der Schwabe »Städtezerstörer« genannt – und sich die umbrischen Kaufleute in ihre steinernen Stadthäuser zurückzogen, hausten die Schwaben zusammen mit ihrem Vieh, versammelt um eine Feuerstelle, im halb eingegrabenen

Lehmhaus. Doch sie gestalteten Weltgeschichte. Auf dem Hohenstaufen und in seinen umliegenden Dörfern genauso wie in Italien, wo heute noch Kaiser Friedrich II. verehrt wird. Als der letzte Staufer 1268 geköpft wurde, übernahmen seine Vasallen die Herrschaft: die Zähringer, die Hohenzollern und die Habsburger – alles schwäbische Geschlechter – und prägten bis ins letzte Jahrhundert die Weltgeschichte. Auch deshalb findet man die Schwaben überall auf der Welt. Bis 1898 gab es ein eigenes württembergisches Konsulat in Philadelphia, USA. Die berühmten Jaffa-Orangen aus Israel stammen von schwäbischen Juden, die nach Palästina auswanderten und in Israel die ersten Kibbuzim mit aufbauten.

Für die Auswanderungen aus Schwaben gab es unterschiedliche Gründe. Bis zur Gründung Korntals 1819 waren es religiöse Gründe für die Auswanderung, weil es im kirchlichen Württemberg – das Spötter wegen seiner Orthodoxie »das lutherische Spanien« nannten – so fürchterlich eng war. Nach der Gründung Korntals zogen die Schwaben als »Wirtschaftsflüchtlinge« fort. Nach 1848 kam die politische Verfolgung der Liberalen hinzu. Politische Gründe – noch vor dem Sieg der Nationalsozialisten – bewogen auch viele jüdische Schwaben, im Sinne des Zionismus ins britische Protektorat Palästina auszuwandern. Kurz: Hinter der Miste ist es eng, da hat man den Weg zum Ende seines eigenen Horizonts nicht weit, und so gab es viele Gründe, nicht nur aus Abenteuerlust das Weite zu suchen, aufzubrechen, gleichzeitig auszubrechen und sein Glück woanders zu versuchen.

Zumal das eigene Land Fremden gegenüber immer verschlossen war und blieb. Das war nicht nur ein Ergebnis der Kleinstaaterei. Wenn der Graf zu Neipperg außer seinen Lembergerreben auch noch eine Kanone besessen hätte, nie hätte sie abgeschossen werden dürfen: Die Kugel hätte immer Württemberg oder einen anderen Grafen getroffen, im eigenen »Ländle«

wäre sie nie herunter gekommen. Bereits vor dem Dreißigjährigen Krieg sind noch alle europäischen Armeen durch Schwaben marschiert, haben vergewaltigt, verwüstet und geplündert. Da wird Misstrauen zur Überlebensstrategie.

Eine Angst geht um in Schwaben. Es ist die Angst vor der Globalisierung. Seit Daimler nicht mehr ein schwäbisches Unternehmen ist, sondern ein Weltkonzern, dem es um das Wohl seiner Aktienbesitzer gehen muss – vom Chef selbst als »Shareholder Value« gepriesen –, fürchten auch die »Mistehocker«, dass nichts mehr so sein wird, wie es zwar noch nie war, aber immer schon sein sollte.

Die Antwort kann nicht im Nationalismus liegen, sondern sie liegt in Europa. Wenn die europäische Gemeinschaft stärker wird, kann sie auch in der Globalisierung mitbestimmen und ihre Stimme einbringen. Die Antwort auf die Globalisierung heißt Europa. Gerade die Schwaben, die einst mit den Staufern auszogen, müssten das als erste als Chance verstehen.

Wie aber kann man das, hinter der Miste sitzend, begreifen?

D'r Schwefelkönig von Louisiana

Hermann Frasch aus Gaildorf (1851–1914)

Wer morgens Milch oder Fruchtsaft aus dem Kühlschrank holt und dabei wie selbstverständlich nach einem Tetra-Pack greift, hat keine Ahnung, dass er eine »urschwäbische« Verpackung in den Händen hält – mit Paraffinwachs getränktes Papier, das Flüssigkeiten geruchsneutral und lichtdicht umschließt. Hermann Frasch aus Gaildorf war 1884 sein Erfinder. Damals wurde die Reichweite seiner Erfindung nicht erkannt, so dass er weder Ruhm noch Geld aus diesem Einfall ziehen konnte.

Hermann Frasch wurde 1851 in Gaildorf in einer Familie mit schließlich zwölf Kindern geboren. Ohne besondere Schulausbildung wurde er Lehrling in einer Apotheke. »Blitzg'scheit« wie er war, entdeckte er bald, dass ihm seine schwäbische Heimat viel zu eng und zu kleinkariert war, und so schiffte er sich mit 17 Jahren nach Pennsylvania ein, dem amerikanischen Bundesstaat, der von Schwaben mitgegründet wurde und bis 1898 sogar ein eigenes württembergisches Konsulat hatte. Dort gründete er mit 22 Jahren bereits sein eigenes Laboratorium, mit dem er sich der Erdöl-Chemie verschrieb. Er verbesserte die Erdöl-Destillation, schuf klarere Abspaltungen der einzelnen Produkte voneinander, stellte saubereres Paraffin her und konnte mit seinen Entwicklungen erreichen, dass Petroleum nicht mehr so furchtbar stank und so zu einer erträglicheren Lichtquelle wurde. Eine passende Petroleumlampe, die mehr Licht bei weniger Verbrauch hergab, erfand er auch gleich noch – und nebenher eben auch das Paraffinpapier, das es heute als Verpackungsmaterial gibt.

Der finanzielle Gewinn aus all diesen Erfindungen nützte anderen. So beschloss er 1885, nach Ontario (Kanada) umzusiedeln und dort eine eigene Ölgesellschaft, die »Empire Oil Company«, zu gründen. Das kanadische Erdöl war im Verhältnis zu amerikanischem Erdöl spottbillig, weil es wegen seines hohen Schwefelgehalts furchtbar stank und rußte. »Skunk« (Stinktier) wurde dieses Öl deshalb genannt. Und genau das reizte ihn. Er schaffte es, dem kanadischen Öl den Schwefel zu entziehen. Als die amerikanische »Standard Oil« dann in Ohio riesige schwefelreiche Ölquellen erbohrte, konnte sie den riesigen Schatz erst nutzen, als sie Hermann Frasch seine mittlerweile 20 Patente abkaufte, um das Öl zu säubern. Frasch war Millionär.

Doch der umtriebige Schwabe konnte und wollte sich auf seinem Reichtum nicht ausruhen. Er beschloss, wieder etwas Neues zu machen. In Louisiana gab es in den weiten Ebenen kleine Erderhebungen, die man als erloschene Vulkane deutete und neben denen man nach Erdöl bohrte. Öl wurde nicht gefunden, sondern unter 500 Meter hohem Treibsand mineralischer Schwefel – der so dringend benötigte Grundstoff für die neue weltweite chemische Industrie. An Bergbau war bei dem Treibsand allerdings nicht zu denken. So kam der Schwefel nach wie vor aus sizilianischen Bergwerken, und Frasch saß auf einem riesigen Schatz in 500 Meter Tiefe, der nicht zu heben war. Da hatte Frasch eine geniale Idee: Weil Schwefel bei 114 Grad Celsius schmilzt, pumpte er 160 Grad heißes Wasser, unter Hochdruck stehend und sich deshalb nicht zu Dampf verwandelnd, in die Tiefe. Und er erfand eine genial einfache Pumpe, die heute noch als »Frasch'sche Schwefelpumpe« weltweit eingesetzt wird. Damit pumpte er flüssigen Schwefel an die Oberfläche und ließ ihn in riesigen Bretterverschlägen erkalten. Das System war so erfolgreich, dass Frasch schon bald alle Bretter Louisianas aufkaufen musste, um dem Schwefelsee Herr zu werden.

Das alles war ein Entwicklungsprozess, der von 1891 bis 1903 andauerte. Bis dahin war es ein ständiger Kampf mit dem aggressiven Schwefel, entsprechenden Rückschlägen und daraus folgenden finanziellen Schwierigkeiten. 1904 hatte Frasch es geschafft, und er besaß das Weltmonopol im Schwefelabbau. Die Menschen feierten ihn als »Schwefelkönig von Louisiana«. Als mehrfacher Multimillionär hätte er nun aufhören können. Aber Frasch war ein unruhiger Geist, und so tüftelte er weiter an neuen Ideen. 1895 hatte er bereits wieder ein neues Patent entwickelt, um versiegende Ölquellen neu zum Sprudeln zu bringen. Da er sich mit Schwefel auskannte, pumpte er mit einer neuen Pumpe Schwefelsäure in die versiegenden Lagerstätten, wenn sie karbonhaltiges Gestein enthielten, was meist der Fall war. Das Gestein wurde durch die Säure zerfressen, dabei entstand Kohlensäure, und unter diesem neuen Gasdruck kam auch noch das Restöl an die Oberfläche.

1914 verstarb er während einer Reise nach Paris. Begraben wurde er in Gaildorf, wo seine Witwe ein riesiges Mausoleum errichten ließ. Seine Kinder ließen seinen Sarkophag später in die USA überführen und schenkten das Mausoleum der Gemeinde, die es bis heute als Aussegnungshalle auf dem Friedhof benützt. Wer also in Gaildorf bei einer Beerdigung mit dabei ist und sich heute über die Architektur der Aussegnungshalle wundert, kennt nun seine fast vergessene Geschichte.

Als Hermann Frasch mit 17 Jahren auswanderte, galt er als Wirtschaftsflüchtling, weil er in Schwaben keine Zukunft für sich sah. Diese fand er – wie so viele andere auch – in den USA.

Es gibt eben zwei Sorten von Schwaben: Die einen jammern und klagen, kommen keinen Millimeter hinter ihrer Miste hervor, und die anderen treibt es ruhelos und unternehmerisch tätig in die Welt hinaus, und sie drücken ihr ihren eigenen Stempel auf.

»Do han i au scho emmer g'miggt ...«

[do: han i: au scho ɛm̀mɘ g´migt]

Die Jugend gilt halt nichts im Ländle

»Do hat mei Vadder g'miggt (gebremst); do hat mei Großvadder g'miggt ond do werd' i au emmer migga – ond wenns d'r Berg nufgoht.« Das ist eine echt schwäbische Lebenseinstellung. Gebremst wird, weil hier schon immer gebremst wurde, und wenn es den Berg hinauf geht. Da kann man noch so viel davon reden, der Jugend doch eine Chance zu geben, andere Wege einzuschlagen, dem Propheten im eigenen Land zuzuhören – es bleibt beim Alten.

Manche Lebenseinstellungen scheinen sich nie zu ändern. Dabei werden sie wie Bekenntnisse hochgehalten. Viele lassen sich dadurch entmutigen, geben auf zu kämpfen oder fangen das Kämpfen gar nicht erst an.

Im letzten Jahrhundert war das auch schon so. Viele junge Menschen nahmen damals ihr Schicksal in die Hand, packten ihren Rucksack, ließen die Alten bei ihrem Geschwätz sitzen und zogen in die neue Welt.

Einer davon war Karl Pfizer aus Ludwigsburg. 1848 zog er nach New York. Mit demokratischen Ideen soll er geliebäugelt haben, also revolutionären Umtrieben, wie es eine Familiengeschichte erzählt. Ein entfernter Verwandter, Karl Erhard, zog gleich mit. Erhard hatte Konditor gelernt, Pfizer war »Materialist«, das heißt er war in einem kleinen chemischen Betrieb ausgebildet worden, vielleicht sogar als Apothekerlehrling. Die beiden ließen sich ihr Erbe auszahlen, verzichteten auf die württembergische Staatsbürgerschaft (eine deutsche gab es noch nicht) und gründeten 1849 in Brooklyn die »Chas. Pfizer & Co. Inc.«. Ihre erste Idee war das Wurmmittel »Santonin«, hergestellt aus Wermut. Während Pfizer den bitteren Kern zusammenmischte, sorgte Erhard, der gelernte Konditor, für eine süße Hülle. Der Stoff ging weg wie warme Semmeln. Später gelang es ihnen, Zitronensäure synthetisch herzustellen. Sie waren gemachte Leute. Pfizer kam 1859 kurz in die Heimat zurück und nahm anschließend seine Ludwigsburger Jugendliebe, Anne Lisette Bausch, als seine Frau mit in die neue Welt. Die Firma Pfizer gedieh prächtig – am Ende des Zweiten Weltkriegs produzierte sie mehr als 50 Prozent der Weltproduktion an Penicillin. Heute ist »Pfizer Inc.« weltberühmt wegen ihrer Erfindung der Viagra-Pille.

1832 wurde in Eislingen Heinrich Beck geboren. In der Adler-Brauerei (noch heute gibt es den Gasthof Adler) lernte er, wie man Bier braut. In Eislingen oder sonstwo im Filstal sah er keine Chancen voranzukommen. Er bekam auch keine. Im Alter von 22 Jahren packte er seine Sachen und ging nach Amerika. Sein Bruder Joseph packte seinen Rucksack gleich mit, und so landeten beide in Fort Wayne im US-Bundesstaat Indiana. Hier gab es viele Deutsche, und die fanden Geschmack am Sud der beiden Schwaben, die auch dort ihr Bier brauten. 1864 kam Heinrich Beck wieder zurück und ging in Bremen an Land. Nach Schwaben wollte er nicht mehr zurück, und so fand er eine Stelle in der dortigen St. Pauli Brauerei. Hier heiratete er die Bremer Bürgerstochter Christiane Düring und beantragte 1872 die Bremer Staatsbürgerschaft. Das war kein leichtes Unterfangen, denn schließlich war der Schwabe amerikanischer Staatsbürger. Da hatte er einiges mit der deutschen Bürokratie auszufechten, denn als schwäbisch sprechender Ami wird man nicht so einfach Deutscher. Das war 1872 im neuen Deutschen Reich schon so wie heute auch – Traditionen halten sich eben. Aber Heinrich Beck war zäh. Mit seiner Braukunst war er auch in Bremen aufgefallen. 1873 gründete er zusammen mit dem Bremer Baumeister Lüder Rutenberg und dem Kaufmann Thomas May die »Kaiserbrauerei Beck & May OHG«. Sein Bier war so gut, dass es sich der deutsche Kaiser Friedrich III. schmecken ließ und ihm nach dem Trunk eine goldene Medaille überreichte für das beste Bier, das er je getrunken habe. Mit schwäbischem Fleiß ging Heinrich Beck daran, dieses Bier noch besser zu machen. Er braute ein helles Bier für den Export (damals gab es fast nur braunes Bier), baute die ersten Kühlmaschinen zur Lagerung und verschiffte die Fässer in alle Kontinente. Es war das erste Bier, das unter dem Namen »Pilsener« in aller Welt berühmt wurde, auch in den USA. So bekam er 1876 auf der Weltausstellung in Philadelphia die Goldmedaille für das beste Bier der Welt. Beide Goldmedaillen zieren noch heute jede Flasche »Becks«. Wenn man so will, ist »Becks« das berühmteste schwäbische Bier. Nebenbei sei angemerkt, dass er die Schulden seines Vaters in Eislingen beglichen und dafür gesorgt hat, dass seine vier Schwestern, die nicht auswanderten, finanziell bestens versorgt waren.

Hegel, unser Philosoph, auf den wir Schwaben so stolz sind, wurde erst in Berlin etwas. So wie auch Beck und Pfizer erst ins Ausland mussten, um ihre Talente entwickeln und entfalten zu können. Die Reihe ließe sich beliebig fortsetzen. Warum gelten eigentlich die Propheten im eigenen Lande nichts, wie die Bibel schon wusste, und warum müssen die Jungen erst fort, damit sie etwas werden können? Im »Ländle« jedenfalls wird eben »g'miggt«.

Schwäbisch Mannheim

Aufbruch der Jugend nach Baden

»Wer in der Jugend nichts ausprobiert hat, weiß im Alter nicht, was er bewahren soll.« Ohne gleich dem Jugendwahn verfallen zu wollen: die Jugend braucht Platz und geistige Weite. Nur dann kann sie sich entwickeln, selber etwas ausprobieren, Grenzen kennen und Grenzen überwinden lernen. Das ist auf der ganzen Welt so, nur in Schwaben wird das negativ ausgedrückt: »Konfirmand hat koin Verstand, putzt den A... mit Stubensand.« Den allerfeinsten Sand – den teuren Stubensand, den man zum Schrubben der Holzdielen in der »guten Stube« brauchte – nicht traditionsgemäß zu verwenden, das nahm sich dieser Redewendung nach die überschäumende Jugend als Vorrecht.

Also brach die Jugend auf. Und ging nach Mannheim. Ausgerechnet Mannheim! Immerhin die zweitgrößte badische Stadt. Auch wenn die Badener bis heute gerne damit angeben, dass Friedrich Schiller aus dem kerkerhaften Stuttgart fliehen musste und sein Drama »Die Räuber« am 13. Januar 1782 im liberalen Mannheim zum ersten Mal aufgeführt wurde, weil das Stück in Schwaben verboten war, muss doch die Geschichte richtig gestellt werden. Damals war es mit der badischen Liberalität noch nicht so weit her und Mannheim war eine pfälzische Stadt. Sie war im 17. Jahrhundert vom pfälzischen Kurfürsten gegründet worden, um wagemutige und innovative Kräfte anzulocken. Die kamen auch in Scharen, und als die Industrialisierung begann, stellten die Württemberger nach den Badenern die zweitgrößte Bevölkerungsgruppe in der Stadt. Es waren Wirtschaftsflüchtlinge aus den ländlichen Gebieten, die unbedingt weg wollten – am liebsten nach Amerika. Aber dazu reichte das Geld nicht. Es waren viele junge Leute darunter, die auch politisch der Enge der Alb, Hohenlohes und des Neckartals entfliehen wollten. Sie gründeten in Mannheim die deutsche Sozialdemokratie mit, etwa 1891 den »Württembergischen Arbeiterbund«. Noch 1907 konnte der Führer der Mannheimer Sozialdemokraten ausrufen: »Mannheim wirkt wie ein Stück junges Amerika im alten Deutschland.«

In Mannheim gab es Arbeit. Um die musste zwar in der Frühzeit des Kapitalismus auch gekämpft werden, aber so brodelte es immerhin in der Stadt und es entwickelten sich neue Ideen.

Was für schwäbische Arbeiter galt, galt auch für schwäbische Unternehmer. Johann Peter Lanz etwa, Spediteur in Friedrichshafen, gründete 1842 eine Zweigniederlassung seiner Spedition in Mannheim. Sein Sohn Heinrich Lanz besuchte bis 1859 die Stuttgarter Handelsschule und beschloss dann, in die Welt aufzubrechen. Er kam bis Mannheim und trat in die Zweigniederlassung seines Vaters ein, der in der Zwischenzeit auch mit Dünger und englischen Pflügen handelte. »Die Pflüge«, dachte er, »kann ich selber besser machen« und entwickelte ab 1867 seine eigenen Landmaschinen. Wenn heute noch auf einer Hocketse in einem Dorf einer mit einem alten Lanz-Bulldog vorbeifährt, werden bei dessen klassischem Sound des Einzylinder-Rohölers nicht nur Opas Augen nass.

Heinrich Lanz, der Schwabe aus der Pfalz, war nicht nur wegen seiner patriarchalischen Strenge und Sparsamkeit bekannt. Die Folgen der Proletarisierung erkannte er schnell und richtete für seine Arbeiter eine Familien- und Krankenunterstüt-

zungskasse, eine Arbeitslosenkasse und eine Sparkasse ein – sogar ein eigenes Krankenhaus ließ er bauen.

Als friedliche Schwaben sind wir dankbar für Mannheim. Denn von hier ging schon 1919 der Gedanke aus, die beiden Länder Baden und Württemberg zusammen zu führen. Der Reichstagsabgeordnete und Redakteur der »Mannheimer Volksstimme«, Oskar Geck, setzte sich für diese Idee ein. Die Mannheimer und die nordbadische Bevölkerung votierten bei der Volksbefragung 1950 und bei der Volksabstimmung 1951 für die Bildung des Südweststaates. Während Karlsruhe und Bruchsal für Baden stimmten, fiel die Entscheidung für den Südweststaat im Raum Mannheim und Heidelberg. Deren Bewohnern verdanken wir das Bundesland Baden-Württemberg.

So kann Schwaben durch den Lauf der Geschichte nur stolz auf Mannheim sein. Mannheim gab der schwäbischen Jugend eine Alternative zum kargen und zukunftslosen Leben auf der Alb – nämlich Brot, Arbeit und geistige Weite.

»Rei'gschmeckt isch besser als daher'glofa«

[raigschmɛkt isch bɛsɘ als da`he:ɘglofa]

Kontaktaufnahme in Schwaben

Die Schwaben mögen die Zugezogenen nicht. Egal woher sie auch kommen mögen. Als im 17. Jahrhundert die aus Frankreich vertriebenen Hugenotten anklopften, war der Landtag dagegen. Sie zogen weiter nach Preußen und machten aus der Streusandbüchse des Reiches den führenden Staat. Als wenig später die Waldenser anklopften, war man auch dagegen, selbst als der Herzog sie aufnahm und als Grenzvolk an die vom Dreißigjährigen Krieg und der Pest ausgestorbene badische Grenze ansiedelte.

Die Norddeutschen sind nicht beliebt (»Fischköpf«) und die Preußen schon gar nicht – ein schwäbisches Wort für Preußen gibt es nur in einer langen Umschreibung: »dia vom groaßa Vadderland«. Das nationale Getöne von Wilhelm Zwo und das Geschnarre der preußischen Offiziere (»He Sie da, sajen se mal ...«) war den Schwaben ein Gräuel. Die Flüchtlinge nach dem Zweiten Weltkrieg hatten es schwer – »Flichtleng« war ein Schimpfwort, und die nachfolgenden Gastarbeiter hatten es noch viel schwerer. Sie wurden, egal woher sie kamen, erst einmal unter dem Sammelbegriff »Itaker« (aus dem legendären Ithaka stammte einst Odysseus) denunziert.

»Die Schwaben machen es einem nicht leicht, sie zu lieben«, ist das Resümee eines Norddeutschen, der seit dreißig Jahren mit einer Schwäbin verheiratet ist. Viele scheitern schon an der schwäbischen Grundform der Kommunikation, wenn es zur ersten verbalen Begegnung kommt. Darum sei all den Fremden, die aus dem verhockten Schwaben eine multikulturelle Gesellschaft gemacht haben und noch machen, ein Tipp gegeben.

Mal angenommen, da zieht jemand in eine schwäbische Stadt. Er kann sicher sein, dass lange bevor das erste Wort mit den schwäbischen Nachbarn fällt genaue Beobachtungen über ihn angestellt werden und man nicht mit den Neuen, aber dafür über die Neuen redet. »Sehet ganz passabel aus! Ganget offensichtlich ens G'schäft ond des mit der Kehrwoch klappt au!« Irgendwann einmal wird dann der schwäbische Nachbar – traditionell ist ein solch mutiger Versuch der Erkundung feindlichen Gebiets erst einmal den schwäbischen Männern vorbehalten – auf den Neuen zugehen. Bitte nicht verblüfft sein, wenn dies erst nach Jahren geschehen sollte: Gut Ding will Weile haben – dafür hat man eben bereits länger beobachtet. Und nun kommt die schwäbische Dialektik der Sprachaufnahme mit einem Fremden zur vollen Geltung. Schwäbisch deshalb, weil sie einerseits einen mutigen Schritt nach vorne macht und andererseits mit keinem Schritt aus der Deckung geht. Der Schwabe beginnt ein Gespräch damit, dass er genau das in Worte fasst, was der andere gerade macht: »So, dem'ma d'r Garta omgraba ...?« oder »So, wird der Karra g'wascha?« oder »Dem'ma d'Zau streicha?«

Das ist der Moment, in dem für alle Zeiten ein für alle Mal und endgültig entschieden wird, ob man nun einen Freund gewinnt – wer einen Schwaben zum Freund hat, hat einen Freund fürs Leben – oder man alles für immer verspielt.

Antwortet das so angesprochene Gegenüber mit der verblüfften Feststellung »Das sehen Sie doch!«, ist alles vorbei und das Gespräch beendet. Der Fremde wird die Schwaben auch weiterhin nicht verstehen und seiner Frau berichten: »Quatscht mich doch heute so ein Blödmann schräg von der Seite an ...«, und der Schwabe fasst seine Erkenntnis in dem Bericht zusammen: »Onser Nachbar isch ein Sempel! Schwätz i den freindlich an, kommt der mir bambig. Den k'asch vergessa!« Es wird nie mehr ein Gespräch geben und mag der Fremde noch so häufig und heftig »Guten Tag!« und »Grüß Gott!« sagen.

Der Schwabe brauchte lange, bis er sich an »d'Flichtleng« gewöhnt hatte. Heute, nach fünfzig Jahren, ist das – fast – kein Schimpfwort mehr. Auch das böse Wort »Itaker« ist nach vierzig Jahren Zusammenlebens im Südwest-Staat mehrheitlich verschwunden. Da kauft man nun bei »seinem Türken« ein, hält »Spaghetti Bolognese« bereits für ein schwäbisches Kindergericht, nennt den italienischen Besitzer »seiner« Pizzeria vertraulich beim Vornamen genauso wie »seinen« griechischen Gemüsehändler an der Ecke.

Trotzdem bleibt der Fremde um die Ecke ein »Rei'gschmeckter«. Damit gehört er aber schon fast dazu – ganz im Unterschied zum »Daher 'glofenen« – der ist und bleibt fremd.

»D'r Schwob, sei Gerschdle ond sei Sach'«

[dɘ schwo:b, sai gɛrschdle ond sai sach]

Schwäbische Geldsäcke

Die Schwaben sollen den Kupferdraht erfunden haben. Aus Geiz, einen Kupferpfennig ausgeben zu müssen, hätten sie ihn so lange zwischen den Fingern gedreht, bis der Draht entstanden sei und Edison endlich eine Verbindung zu seiner Glühbirne gehabt hätte. Kein Wunder, seien die Schwaben doch wegen zu viel Geiz sogar aus Schottland ausgewiesen worden. Das alles ist natürlich üble Verleumdung, mit der schon seit Jahrhunderten vom besonders geschickten Umgang der Schwaben mit dem Geld abgelenkt wird. Denn ohne die Schwaben hätte es keine Globalisierung gegeben.

Schwäbisches Geld – genauer Schuldscheine und Aktien, Schecks und Wechsel – regierten einmal die ganze Welt. 1396 wurde in Memmingen Burkhard Zink geboren, in Nachbarschaft der »Großen Ravensburger Handelsgesellschaft«, die von 1380 bis 1530 ein gewichtiges Wörtlein im Welthandel zu sagen hatte. Damals exportierten die Ravensburger Leinwand bis nach Indien und China. Kein Segelschiff, das nicht ohne ihre Segel aus Leinwand die neuen Welten erschloss. Und Burkhard Zink war der erste Kaufmann der deutschen Wirtschaftsgeschichte, der Handel nach Übersee betrieb, 800 Kilometer weit weg vom nächsten Meer.

Oder das schwäbische Augsburg. 1468 bezeichnete es Äneas Silvio Piccolomini, so hieß Papst Pius II. vor seinem Papstamt, als die reichste Stadt der Welt. Hier war die Familie Fugger zu Hause. Kaiser Karl V., der Martin Luther und die Reformation zu verhindern suchte, wäre ohne Kredit bei Jakob Fugger niemals deutscher Kaiser geworden. Kaiser Karl V. konnte wie sein Vorgänger, Kaiser Maximilian I., nicht zahlen, aber dafür verschenken: Silbergruben in Tirol, der Steiermark und in Kärnten verpfändete er genauso wie Kupferbergwerke in Ungarn und Quecksilbergruben in Spanien. Fugger war auch am Geschäft des Ablasspredigers Tetzel mit fünfzig Prozent beteiligt, der mit seinem rhetorischen Talent durch die Lande zog und den letzten Anlass für den Beginn der Reformation lieferte: »Wenn das Geld im Kasten klingt, die Seele aus dem Fegefeuer springt.« Eine weitere tolle Geschäftsidee hatte Fugger: Er finanzierte und betrieb die kaiserliche Post in Europa. Da es ein Postgeheimnis noch nicht gab, konnte man durch spezielle Postagenten gleich die europäische Post mitlesen. So wusste Fugger schneller als andere, wo welche Preise stiegen oder fielen und konnte in seinem Kontor kaufen und verkaufen, bevor die eigentlichen Postempfänger überhaupt handeln konnten. Er war eben ein »knitzer Schwob«. Weil er auch ein bisschen sozial war, gründete er die Siedlung »Fuggerei«, die erste Arbeitersiedlung der Weltgeschichte. Ihre Bewohner zahlen bis heute den von Jakob Fugger festgelegten Gegenwert von einem Gulden als Miete.

Man muss sich das mal vorstellen: Das erste deutsche Kolonialunternehmen in Übersee kam nicht von der Nordseeküste, sondern aus Schwaben. Die ersten Handelsschiffe führten nicht die Flagge der Spanier, sondern die weiß-rote Flagge der Welser, der anderen international tätigen Familie aus Augsburg. Als Kaiser Karl V. mal wieder völlig pleite war, übergab er als Gegenleistung für seine Kredite ganz Venezuela, damals also fast ganz Südamerika, den Welsern. Inklusive dem Recht, Sklaven zu fangen und zu verkaufen. Damit haben sich die Schwaben, wie wir heute wissen, nicht nur mit Ruhm bekleckert. So gehörte 1528 ganz Venezuela den Welsern, Chile gehörte ab 1531 komplett den Fuggern. Hätte Kaiser Karl V. ihnen weiterhin den Rücken gestärkt, hätten sie dort ihre Herrschaft ausbauen können. Stattdessen kümmerte sich der Kaiser nur um den Kampf gegen die Protestanten im Schmalkaldischen Krieg. Dazu brauchte er das Geld der Handelshäuser. Während man sich in Deutschland in Glaubensdingen gegenseitig die Köpfe einschlug, ging über dem Ozean ein komplettes Weltreich verloren. Dennoch reichte die Zeit, um in Schwaben die besten und genauesten Karten vom neuen Kontinent zeichnen zu lassen. Man bediente sich dabei der Hilfe eines italienischen Gastarbeiters, Amerigo Vespucci. Der zeichnete so gut, dass sein Name auf den Kontinent überging: Amerika.

Die schwäbischen Geldsäcke ließen aber nach dem Verlust von Südamerika nicht locker. Mit Augsburger Krediten konnte der französische König Metz, Toulon und Verdun kaufen. Der schwäbische Kaufmann Herwart sanierte den Staat des Sonnenkönigs Ludwig XIV. Mit schwäbischem Geld kam die englische Königin Elisabeth I. über die Runden, finanzierte eine Flotte, die die spanische Armada siegreich versenkte. Augsburger Geld und damit finanzierte Tiroler Bergleute erschlossen die englischen Gruben und schufen die Grundlage zum Wohlstand der Briten.

Und weil man das damals alles noch wusste und weil 1609 ein Augsburger Wirt es leid war, jeden Tag hundert mal in seiner Beiz, in der auch die Posthalterei untergebracht war, jedem, der es wissen wollte, zu erzählen, was los war in der Welt, erzählte er es nur einmal dem Drucker gegenüber, mit dem er zugleich »a G'schäftle g'macht« hatte. Das Gedruckte, »Zeitung« genannt, verkaufte er dann stapelweise. Die Weltpresse war erfunden.

So kann man die Kampagne des Ministerpräsidenten einfach umdrehen: »Hochdeutsch könnet m'r net – aber älles andere.« Oder konnten es wenigstens früher.

»D'r Salomo em Baura'rock«

[dɘ salo:mo: `m baurɛrok]

Über Johann Friedrich Flattich (1713–1797)

Johann Friedrich Flattich gehört zu den Vätern des Pietismus. 1713 in Beihingen bei Ludwigsburg als Sohn eines Schulmeisters geboren, kam er nach Denkendorf zu Johann Albrecht Bengel, der ihn prägte. Als Garnisonsprediger kam er 1742 auf den Hohenasperg zu seiner ersten Pfarrstelle. Weil das Geld knapp war, nahm er als »hoffnungslos« bezeichnete Kinder in sein Pfarrhaus auf und unterrichtete sie. Meist waren das Söhne von Offizieren aus der Garnison Ludwigsburg. 1747 wurde Flattich Pfarrer in Metterzimmern. Auch hier nahm er Kinder in sein Pfarrhaus auf – bis zu 30 Kostgänger kamen jeden Tag zu seinem Unterricht. Dieser wurde bald berühmt. »Nicht durch den Stock, sondern durch Güte und Geduld ändert sich vieles«, war sein Motto. Er legte Wert auf die Feststellung, dass jeder Mensch zu seiner persönlichen Entwicklung Zeit brauchte. Deshalb war es ihm auch wichtig, dass die Kinder am Unterricht Freude hatten. Für uns heute mag das banal klingen – damals war es eine Sensation.

Dem absolutistischen Herzog Carl Eugen ist er auch begegnet. Der griff gerade zur Reitpeitsche, als ein Untertan nicht gleich tat, was er wollte. Flattich ging dazwischen. Das imponierte dem Herzog und er holte Flattich immer wieder zu sich. So erschien er einmal mit ungepudertem Haar zu einem herzoglichen Empfang und wurde wegen seines stillosen Aussehens prompt vom Herzog öffentlich zur Rede gestellt. »I' brauch mei' Mehl für meine Spätzle«, war seine Antwort, und der Herzog und seine Höflinge brachen in tosendes Gelächter aus. Ein anderer wäre für diese Antwort für Jahre auf dem Hohenasperg verschwunden.

Württemberg war zu dieser Zeit bettelarm. Als zur allgemeinen Armut auch noch durchziehende plündernde Franzosen sowie Missernten kamen, war die Not im Ländle groß. Hier kümmerte sich Flattich um die Verbesserung der darbenden Landwirtschaft und ermahnte die Bauern, ihre Söhne zu erziehen. Der Herzog berief ihn 1760 gegen den Willen der Kirchenleitung auf die gut dotierte Pfarrstelle Münchingen. Hier entfaltete er sein ganzes Können als Pädagoge der kleinen Leute. Von seiner Kanzel herab gab er nicht nur praktische landwirtschaftliche Tipps, sondern auch pädagogische. Diese fasste er in seinen »Hausregeln« zusammen, die in vielen Auflagen gedruckt wurden und zu den Grundlagen evangelischer Erziehungsarbeit in Württemberg gehörten. Diese Hausregeln prägen den Puritanismus in Württemberg bis heute.

So empfahl er, auf Gewalt gegen Kinder und Gesinde zu verzichten. Untergebene sollten ebenbürtig behandelt, gegen Frauen sollte keine Gewalt ausgeübt werden. Er sang ein Loblied auf die Sparsamkeit. So rief er dazu auf, auch in wohlhabenden Familien sparsam zu leben. Seine Begründung: Wenn ein billiges Glas zu Bruch gehe, sei der Ärger kleiner als bei einem teuren Glas. Genauso lehnte er auffällige und teure Kleidung ab und lebte selbst konsequent danach. Eines Tages kam er ohne Schuhe nach Hause. Ein Schuh sei im Schlamm stecken geblieben, da habe er auch den anderen dort gelassen. Ein Finder könne ja mit einem Schuh allein nichts anfangen. Schäbig gekleidet, zog er einmal mit 30 Gulden nach Ludwigsburg, um einen neuen Anzug zu kaufen, den er für einen herzoglichen Empfang brauchte. Unterwegs traf er eine Frau, die über den drohenden Verlust ihres kleinen Hauses klagte, weil sie kein Geld mehr habe, um ihre Schulden noch heute bezahlen zu können. Er gab ihr das Geld, trat schäbig vor den Herzog, ertrug den Spott der feinen Hofgesellschaft und freute sich, als er hörte, dass die Frau ihr Haus retten konnte. Auf die Frage des im Land verhassten Herzogs, was er denn zu seinem Geburtstag gepredigt habe, antwortete Flattich: »... dass Fürsten fürstliche Gedanken haben sollen«.

Eine als streitsüchtig geltende Frau kam zu ihm und bat um Rat in ihrer Ehekrise. Er überredete sie dazu, vor jedem Streit mit ihrem Ehemann einen flachen Kieselstein unter die Zunge zu legen. Sie tat es und berichtete ihm später, dass es sich mit einem Kieselstein im Mund schlecht streiten ließe – aber ihre Ehe gerettet sei.

Die Menschen erzählten in ganz Württemberg diese Geschichten und nannten Johann Friedrich Flattich den »Salomo em Baura'rock«. Sie achteten ihn, weil er die kleinen Leute in ihrer Armut und Hilflosigkeit ernst nahm, ihnen mit Rat und Tat zur Seite stand und auch vor dem gewalttätigen Herzog keine Angst hatte. Und dieser achtete ihn deshalb auch.

»Du muaschd ja'mre kenna«

[du: muaschd jamrɛ kənɛ]

Beate Paulus und Wera Konstantinowa bauen am »Reich Gottes zu Württemberg«

Du muaschd ja'mre kenna, ohne z'leida!« Eine alte schwäbische Weisheit: Lerne klagen, ohne zu leiden. Aber irgendwie ist das auch typisch deutsch. Es wird gejammert und geklagt ohne Ende. Man könnte meinen, die Menschen würden kurz vor dem Hungertod in den Wüsten Afrikas stehen. Bei all den Bedenkenträgern und Jammerern kann man dabei sehr leicht übersehen, wo es wirklich klemmt und Hilfe Not tut. Die Diskussionen um die notwendigen Reformen in unserer Gesellschaft sind ein gutes Beispiel dafür. Aber niemand kann das so genau auf den Punkt bringen wie der Schwabe. Treffen sich zwei Schwaben: »Ond?« – »Au!« Damit ist alles gesagt.

Marodierende Soldaten, Hungersnot und ein prügelnder Ehemann – das alles konnte Beate Paulus, 1778 in Kornwestheim geboren, nicht von ihrem Glauben abbringen. Dabei waren die Zeitumstände so, dass alle glaubten, dass 1836 der Messias wiederkommen würde – in Russland oder in Korntal. Und sie war die Frau eines Pfarrers, der wegen seiner liberalen theologischen Einstellung und seiner Abstammung von der württembergischen Ehrbarkeit überall anerkannt war, selbst wenn er trank. Dagegen setzte sie ihre Abstammung: Sie war die Tochter von Philipp Matthäus Hahn, dem »Uhrenpfarrer« aus Kornwestheim. Und bei ihrem Großvater, dem pietistischen »Vater Flattich«, erhielt sie eine Bildung, die der eines altsprachlichen Gymnasiums entsprach. Kein Wunder gab sie später seine Schriften heraus, diskutierte und lehrte – völlig unnormal für eine Frau der bürgerlichen Schicht Württembergs. Mit diesem Auftreten und Sendungsbewusstsein hatte sie auch immer Streit mit ihrem Mann wegen der Haushaltsführung und der Erziehung der Kinder. Dennoch traute sie sich nicht, sich scheiden zu lassen. Sie fügte sich in ihre Rolle und litt darunter – und schrieb später ein Buch darüber: »Dann wurde ich zornig und sagte, er (der Ehemann, JK) sei so faul, und sagte: Ach, wenn ich nur von einem solchen liederlichen Mann verlassen wäre! Er machte nichts mehr. Und ich war dann auch wieder still!«

Als sie dann Witwe war und ihre Kinder aus dem Gröbsten heraus waren, zog sie nach Korntal zu ihren Söhnen, die dort Arzt und Apotheker waren. Mit dem Standesbewusstsein einer Enkelin Flattichs und einer Tochter Hahns kümmerte sie sich einen Dreck um die Regeln der frommen Korntaler. Und die konnten einer Tochter und Enkelin der Helden des Pietismus auch nicht wirklich widersprechen. Für Beate Paulus war klar: Man versündigt sich, wenn man den in einem Menschen angelegten Samen nicht zum entsprechenden Wachstum bringt. So verschrieb sie sich der Pädagogik. Sehr zum Leidwesen der frommen Brüder in der Leitung. Die Korntaler Schule wurde von ihren Söhnen geleitet, und sie mischte kräftig mit. Als es nun um die Vergrößerung der Schule ging, wollten die leitenden Väter nicht so richtig mitziehen. Außerdem war ihnen die Familie Paulus nicht geheuer. Die Brüder aus Korntal gingen mit den Hühnern ins Bett. Aber im Hause Paulus wurde bis spät in die Nacht hinein heftig diskutiert, auch zwischen Eltern und Kindern, und dazu »oina bloazget«, also kräftig Zigarren gepafft. Der Gemeindevorsteher und Gründer von Korntal, G. W. Hoffmann, konnte da nur abfällig über das »Paulussche Tabakrauchleben« lästern.

Mangels Perspektiven verließen Beate Paulus und ihre Kinder Korntal, als sie vom Angebot der Stadtväter Ludwigsburgs hörten, das ehemals fürstliche Anwesen »Catharinen-Plaisir« – inzwischen eine Bierwirtschaft – zu verkaufen. Beate Paulus kaufte es und richtete die »Salonschule« ein – praktisch ein Internat, das durch die eigene Landwirtschaft die tägliche Versorgung der Schüler und Lehrer übernehmen musste. Beate Paulus wurde zur »Mutter der Salonschule« und legte den Grundstein dafür, was heute »ganzheitliche Pädagogik« genannt wird. Aus der Salonschule ist später die Karlshöhe in Ludwigsburg entstanden.

Einen ganz anderen Weg in all dem Gejammer der damaligen Zeit schlug Wera Konstantinowa ein. Geboren 1854 in St. Petersburg als Enkelin des Zaren, kam sie mit neun Jahren an den Hof nach Stuttgart zu ihrer Tante Olga, der württembergischen Königin. Sie heiratete Herzog Eugen, einen Weiberheld, der im Duell um eine Offiziersgattin, der er nachstellte, sein Leben verlor, und dessen Tod als »Rippenfellentzündung« ins württembergische Hofprotokoll einging. Sie hingegen vollendete die Werke ihrer Tante Olga: Das Königin-Olga-Stift und die Olga-Schwesternschaft. Mit dem Geld des Zaren baute sie die russisch-orthodoxe Kirche am Hölderlinplatz, zog selber in die Villa Berg (heute SWR) und beantwortete Hilfe suchende Briefe mit Rat und Geld. Nachdem sie zum evangelischen Glauben konvertiert war, baute sie die Heilandskirche und stiftete die dortige Pfarrstelle. Sie gründete das Weraheim für ledige junge Frauen – damals hieß das noch »gefallene Mädchen« – und die Nikolauspflege für Blinde.

Das Jammern gehört in Schwaben einfach zum Leben. Schon deshalb, damit beim Nachbarn kein Neid entsteht. Aber diese beiden Frauen, Beate Paulus und Herzogin Wera, haben nicht nur den Männern, sondern auch den Bedenkenträgern gezeigt, wo in all dem Jammern »Bartel den Moschd holt«.

»Heiligs Blechle«

Pflegen in der »guten alten Zeit«

Heiligs Blechle« oder »Schla me's Blechle« sind schwäbische Ersatzflüche für einen, dem zwar die Galle überläuft, der aber doch aus wohlerzogener schwäbischer Sittsamkeit heraus nicht fluchen darf. Aber fast niemand weiß mehr, woher der Ausdruck kommt.

Herzog Christoph, einer der wirklich Bedeutenden aus dem Hause Württemberg, und sein Reformator Johannes Brenz hatten mit dem verstaatlichten Kirchengut der mehr als reformbedürftigen Kirche in der Großen Kirchenordnung auch den »Armenkasten« eingeführt. Kurz: Die örtliche Gemeindeleitung, bestehend aus Pfarrer und Schultheiß, hatte sich um die Armen, Kranken, Bedürftigen, Waisen und Flüchtlinge zu kümmern. Das war die so genannte Heiligenverwaltung.

Gern tat man das nicht. Es gibt einen Schriftwechsel aus der Zeit vor dem Dreißigjährigen Krieg, in dem etwa der Münsinger Dekan ausdrücklich verbot, einer völlig verarmten Frau etwas zu geben. Begründung: »Sie habe es mit dem Soldatenvolk getrieben.« Der Kirchenpfleger widersetzte sich dem Verbot und gab ihr dennoch ein paar Kreuzer mit der Begründung: »... sintemal man ja schließlich nicht mitten im Flecken jemanden verhungern lassen« könne.

Es wurde also scharf auf die Gründe der Armut geschaut. Krankheit, Unfall oder Alter waren akzeptiert. Dann wurde auch jemand vor dem Verhungern gerettet. Aber Faulheit, Liederlichkeit und Trunksucht oder zumindest das öffentliche Gerede darüber machten es schwer, den »Kirchenkasten« zu öffnen.

Dabei wurde sehr darauf geachtet, ob jemand aus dem eigenen Dorf stammte oder nicht. Bedürftige bekamen eine Blechmarke, die sie sogar am Rock tragen mussten. In einer Gemeindeverordnung aus dem 16. Jahrhundert ist nachzulesen, dass die Pfarrer die für ihre Gemeinde nötigen »Blechlen« in Stuttgart bestellten. Da sie nur von der Heiligenverwaltung ausgegeben werden durften, wurde der Begriff »Heiligs Blechle« schnell bekannt. Erst im 19. Jahrhundert wurden die Blechabzeichen abgeschafft.

Aber daneben gab es jede Menge Flüchtlinge. Kriege, Pest und Seuchen überzogen das Land. Es gab viel fahrendes Volk. Die durchziehenden Söldnerheere ließen ihre kranken und ausgemusterten Soldaten samt ihren Familien zurück. Ströme von Invaliden, Hausierern, Gaunern, fahrenden Handwerkern, Scherenschleifern, Burschen auf der Walz schlugen sich mehr schlecht als recht durchs Leben – und blieben liegen, wenn sie krank, alt oder erschöpft waren.

In der württembergischen Polizeiverordnung von 1814 findet sich noch folgender Satz: »Fremde kranke Arme sind in der Fron von Ort zu Ort weiterzuführen, wenn es ihr körperlicher Zustand erlaubt.« Einerseits hatte die Gemeinde die Pflicht, solche Menschen aufzunehmen, aber nur in der Nacht. Um die Fremden nicht versorgen zu müssen, wurden sie, solange es auch nur ein bisschen hell war, abgeschoben: sie kamen »auf die Bettelfuhr«. Auf Karren wurden sie ins nächste Dorf gebracht, von dort gleich weiter. Wehe, wenn die Nacht einbrach – also gleich weiter. Und wenn es nicht anders ging, gab es eben eine Übernachtung im Spritzenhaus, eine Suppe, und am anderen Tag bei Morgengrauen kam der Büttel mit seinem Karren und ab ging die Fuhre. Das ging so lange, bis die Armseligen verhungerten oder vor Schwäche starben. In den Totenbüchern der Pfarreien findet sich oft das letzte Lebenszeichen. Gestorben, verscharrt, oft war nicht einmal der Name bekannt. Viele Kinder endeten so, besonders Mädchen, alte Frauen, gelegentlich sogar Pfarrers- und Lehrerswitwen, Soldaten und Veteranen, Handwerksburschen und Studenten – von wegen Leute, die etwas auf dem Kerbholz hatten. Genauso erging es den körperlich und psychisch Kranken. Sie hatten gar keine Chance und niemand hatte Mitleid.

Es soll ja Menschen geben, die schwärmen von der »guten alten Zeit«. Wahrscheinlich wissen sie nicht, von welcher Zeit sie schwärmen.

»Dubbeler ond net ganz bacha«

[dubɛlɐ ond nət gants bachɛ]

Diakonische Initiativen für Behinderte

Der schwäbische Reformator Johannes Brenz machte es seinen Pfarrern vor. In seinem Katechismus hatte er folgende Frage mit einer ganz einfachen Antwort versehen: »Was bist Du?«– »Ich bin ein Christ.« Das konnte auch ein Behinderter auswendig lernen und somit konfirmiert werden. So geschah es Jahrhunderte lang in Württemberg. Ansonsten liegt ein dunkler Vorhang über dem Schicksal von behinderten Menschen in der Vergangenheit.

»Dubbeler« und »net ganz bacha« gab es in jedem Dorf. Solange die Großfamilien existierten, wurden sie mitgeschleppt. Sie vegetierten in den Dörfern, ihr Schicksal war gottgewollt, und so trug man sie eben irgendwie mit. Wenn es aber regelmäßig zu Kriegen und Hungersnöten kam, war ihr Schicksal besiegelt. Denn wenn sich die sozialen Dorfstrukturen auflösten, blieb ihnen nur die Bettelei oder das Verhungern. In den alten Kirchenbüchern finden sich immer wieder Hinweise darauf, dass unbekannte Tote außerhalb des Dorfes verhungert oder erfroren aufgefunden und anonym begraben wurden. Registriert wurden sie trotzdem.

Die Hungersnöte von 1816 und 1817 nach den Napoleonischen Kriegen hatten dramatische Auswirkungen nicht nur auf die gesamte Bevölkerung, sondern vor allem auf die Behinderten. Als in den folgenden Jahren die Frühzeit der Industrialisierung begann, wurde es nicht besser. Denn nun lösten sich die Großfamilien auf. Die »überzähligen Esser« waren auf einmal übrig und konnten nicht mehr mitversorgt werden.

So waren es zunächst einzelne, die einen Blick auf behinderte Menschen warfen und sich ihrer annahmen. Justinus Kerner etwa, der Dichter-Arzt aus Weinsberg – von dem die Dichter sagten, er sei ein großer Arzt, und die Ärztekollegen meinten, er sei bestimmt ein großer Dichter – kümmerte sich nicht nur um die Geisteskrankheit von Lola Montez, Geliebte des bayerischen Königs Ludwig I. Dessen großzügiges Honorar setzte er für bettelarme Behinderte ein und verwendete es für ihre Kost und Logis bei Weinsberger Wengertern. Die Kornwestheimerin Beate Paulus nahm 1841 Gemütskranke in ihrem Haus auf und versorgte sie.

An vorderster Front sammelte der aus dem württembergischen Kirchendienst entlassene Gustav Werner durch seine Vorträge nicht nur Geld unter den vornehmen Stuttgarter Damen. Er reflektierte auch, was er sah. Ihm ging es darum, »liebende Gerechtigkeit« als Prinzip der Gesellschaft zu verwirklichen. Mit seiner Idee einer christlichen Gesellschaft als Alternative zu Kapitalismus und Sozialismus ist er zwar gescheitert, seine Ideen waren aber nicht nur für das frühe 19. Jahrhundert revolutionär. Für ihn hatte allein das Christentum die Kraft, Gerechtigkeit zu verwirklichen. Arbeit und Kapital waren für ihn gleichberechtigt, Vermögen eine Leihgabe Gottes. Die Rechte des Einzelnen sollten mit den Rechten des Ganzen in Einklang gebracht werden. Jeder Mensch sollte die Möglichkeit haben, einen adäquaten Platz in der Gesellschaft zu finden. Und: Das sollte für Kinder, Lehrlinge, Frauen und Behinderte gelten.

Für solche Ideen wird man in manchen Teilen der Welt heute noch erschossen.

Überall wurden Erziehungs- und Rettungsanstalten gegründet, so 1830 die »Evangelische Gesellschaft« in Esslingen unter

Pfarrer Christoph Ulrich Hahn, die 1835 nach Stuttgart verlegt wurde. 1820 kümmerte sich Christian Heinrich Zeller aus Entringen um verwahrloste Kinder, von denen laut damaliger Statistik 18.000 bettelnd durch Württemberg zogen. Er gründete auch gleich eine Schullehreranstalt, nach deren Vorbild 22 weitere Kinderrettungsanstalten entstanden. In diesem Sinne wirkten auch Wilhelmine Canz in Großheppach und Charlotte Reihlen in Stuttgart. Pfarrer Haldenwang gründete 1838 in Wildberg ein Heim für »Schwachsinnige und Taubstumme«. Seine Arbeit wurde 1847 in Mariaberg fortgesetzt.

»Dubbeler« und »Net ganz bacha« gibt es auch heute noch. Es sind die Zeitgenossen, die diese Pioniere der diakonischen Frühzeit und ihre damals entstandene Arbeit immer noch ignorieren.

»Diese Zeit war eine weite Oede der Verzweiflung«

Königin Katharina und die Anfänge der Diakonie in Württemberg

1816 heiratete Katharina, Tochter des russischen Zaren Paul I., den württembergischen Kronprinzen, der noch in demselben Jahr als König Wilhelm I. den württembergischen Thron bestieg und die Regierung des von Hungerjahren und Kriegen völlig darnieder liegenden Landes übernahm. Die neue Königin war entsetzt über das Elend, das sie sah: »Da saßen die Armen frierend und haschten nach Kleie und Mehlstaub, um das elende Leben von einem Tage zum anderen hinzuschleppen«, notierte sie 1817 in ihr Tagebuch und begann sofort mit der Arbeit. Damit wandte sie sich vor allem an die Frauen. Alle Hilfsbereiten sollten »aneinandergekettet in Einheit und Zusammenhang in das große Geschäft der Menschenliebe gebracht werden«. Mit zehn Männern und sieben Frauen gründete sie 1817 den Wohltätigkeitsverein. Nun entstanden überall im Land Bezirkswohltätigkeitsvereine, in denen Armenärzte eingesetzt, Industrieschulen und Ersparnisvereine für Bedürftige gegründet wurden.

Das war auch bitter notwendig. Denn neben den Hungernden waren es insbesondere die psychisch Kranken und Behinderten, denen es noch schlechter als schlecht ging. Zwar standen auch sie unter dem Schutz der Großen Kirchenordnung von 1559, die verfügte, dass vor Ort der »Armenkasten« eingeführt wurde, der für die Notleidenden zu sorgen hatte und durch spezielle Opfer bei Hochzeiten und Beerdigungen und durch Stiftungen finanziert wurde. Aber oft war das nicht viel, und in einer armen Gemeinde kam nicht genügend zusammen. 1615 wurde deshalb ein Lastenausgleich zwischen armen und reichen Gemeinden verfügt. Doch das alles brach immer wieder zusammen, wenn die Not alle erfasste. »Keiner unserer Unterthanen, so sondersiech, soll in die Einöde verstoßen, sondern in desselben Amts, Stadt oder Flecken zugeordnete Behausung geschickt werden.« Die Realität fasste ein Visitationsbericht zusammen: »Die Armen bekommen von dem Spitalmeister und von dessen Frau kein gutes Wort zu hören ... Die Armen lässt man darben.«

Erst in der Zeit von Königin Katharina wurde das anders. Geprägt von Pietismus und Aufklärung war ein neues Menschenbild entstanden. Das Individuum als eigene Größe wurde entdeckt und mit ihm auch die menschliche Würde des Einzelnen. Diesem Leitbild verschrieb sich das neue Bürgertum. So wurde die junge Königin zur Speerspitze der Bewegung. Im Mai 1817 schrieb sie über die psychisch Kranken: »Nehmen wir uns also der Moralisch-Kranken an, beschäftigen wir sie unter Aufsicht eines wahren Dieners der Religion, eines Geistlichen, der durch Ermahnung ihnen die Liebe zur Tugend wiedereinflößt, durch Unterricht ihnen die Mittel der Erhaltung ihres künftigen Lebens gibt.«

Das Vorbild der Königin steckte an. Es kam zu einer Gründungswelle von Wohltätigkeitsvereinen, aus denen diakonische Einrichtungen entstanden. So richteten etwa 1836 der Arzt Dr. August Werner und der Oberjustizrat Carl Max von Klett in Ludwigsburg ein Privatkrankenhaus ein, in dem weibliche und männliche Krankenpfleger ausgebildet wurden. Daraus entstand nicht nur das erste deutsche Kinderkrankenhaus, mit der Ausbildung wurde auch die Basis für einen neuen Berufsstand gelegt. 1848 wurde in Rieth bei Vaihingen/Enz eine Heil- und

Pflegeanstalt für Schwachsinnige und Epileptiker eingerichtet, die später nach Stetten ins Remstal verlegt wurde.

In ärmeren Gemeinden wurde etwa für Kinder eine Reihum-Verköstigung in den Häusern von wohlhabenden Bürgern eingerichtet. 1834 verkündigte die Stuttgarter Bergrätin Wagner einen Aufruf an die Frauen von Stuttgart zur Einführung eines »Frauensparvereins«: »Es soll bloß durch Sparpfennige geschehen. In Korntal kostet die Aufnahme eines Kindes 40 Gulden und dann ebensoviel Kostgeld. Wenn nun 10 Personen von gleich gutem Willen sich vereinigen, wöchentlich sechs Kreuzer an etwas Unnötigem oder Überflüssigem zu sparen, sei es an einer Visitt oder einem Gastessen, kurz, es gibt für eine nachdenkliche Hausfrau immer Fälle, wo wöchentlich etwas erspart werden kann, ohne geizen zu müssen ...« Dieser »Stuttgarter Frauenverein für die Versorgung hülfsbedüftiger Kinder« war der erste Frauenverein in Württemberg und zählte bereits nach drei Jahren 20 Abteilungen mit je 12 Frauen und dehnte seinen Wirkungskreis aufs ganze Land aus.

So war es nicht allein Johann Hinrich Wichern, der Impulse für die neue Form der Diakonie gab. In Württemberg waren es auch die Frauen, die, angeregt durch die Königin, zu neuen sozialen Ufern aufbrachen.

»O'msonscht taugt nix!«

[omsonscht taukt niks]

Ehrenamt und die Anfänge der Wohltätigkeit

Wenn ebbes o'msonscht isch, isch's nix wert«. Wenn man in Schwaben weltliche Glaubenssätze sammeln würde, die aufzeigen, auf was die Menschen wirklich bauen – dieser Satz würde als Bekenntnissatz gelten. In ihm spiegelt sich die Lebenserfahrung von Menschen, denen im Leben nichts geschenkt wurde und die es, trotz aller Anstrengungen, aufgrund der gesellschaftlichen und wirtschaftlichen Bedingungen auch zu nichts bringen konnten.

Freiwillig arbeitete niemand. Ehrenamtliches Engagement gab es zuerst in den Städten in der Biedermeierzeit, als ein gewisser bürgerlicher Wohlstand aufkam und so »Wohltätigkeit« ausgeübt werden konnte. Geprägt von Aufklärung in der schwäbischen Form und von der Erweckungsbewegung wurde es in bürgerlichen Kreisen »schick«, wohltätig tätig zu werden. Das württembergische Ehrenamt wurde geboren.

Nun ging es Schlag auf Schlag. Bereits 1815 hatte der dem Pietismus verbundene Stuttgarter Hofküfermeister Engelmann junge Handwerker und Bedienstete um sich gesammelt, mit ihnen die Bibel gelesen, an Gottesdiensten teilgenommen und allein stehende Kranke besucht. Aus diesen Wurzeln stammte der spätere Stuttgarter »Jünglingsverein«, aus dem noch später wiederum der CVJM entstand. Traktatvereine entstanden, »Jünglings- und Jungfrauenvereine«, Krankenvereine und Rettungshäuser. 1834 gründete die Stuttgarter Bergrätin Wagner einen »Frauensparverein für arme Kinder in einer Rettungsanstalt« – der erste Frauenverein Württembergs war entstanden.

Gustav Werner war auch als entlassener württembergischer Pfarrer ein gern gesehener Redner in den Salons der Stuttgarter Gesellschaft, in dem die Frauen das Sagen hatten. Hier sammelte er Gelder für seine Arbeit, und nach einem solchen Vortrag wurde er auf das Schicksal des kleinen Wilhelm Maybach aufmerksam gemacht, einem Halbwaisen aus Heilbronn. Er nahm ihn mit nach Reutlingen, erkannte seine technischen Fähigkeiten und förderte ihn aus seiner Privatschatulle. Die meisten Patente, die Gottlieb Daimler erhielt, waren in Wirklichkeit das Ergebnis technischer Meisterleistungen Maybachs.

Ohne all die Ehrenamtlichen des 19. Jahrhunderts wären die diakonischen Einrichtungen im Ländle nicht überlebensfähig gewesen. So gehören Diakonie und Ehrenamt in ihren Wurzeln zusammen. Und nur so wurde, wie Blumhardt das nannte, die »Reich Gottes Arbeit« in Württemberg möglich.

Diakonie und Rotes Kreuz aus einem Geist

Die Gründung der ersten nationalen Rotkreuzgesellschaft in Württemberg

Ein bisschen starke Nerven muss man schon mitbringen, wenn man in Ludwigsburg das Strafvollzugsmuseum besucht. Denn von den 250 Jahren als Zucht- und Arbeitshaus (1736 bis 1990) ist nicht nur die Guillotine übrig geblieben. Man steht in Räumen, die auch die erste psychiatrische Einrichtung Württembergs waren – als ehemaliges »Tollhaus«. Erst im 19. Jahrhundert setzte sich unter dem Einfluss der Wohltätigkeitsvereine so langsam die Erkenntnis durch, dass psychisch kranke Menschen nicht einfach »Irre« waren, die man wegschließen musste, sondern von Gott geliebte Menschen mit einer besonderen Krankheit.

Durch Aufklärung und Pietismus lag im 19. Jahrhundert überall die Idee in der Luft, dass etwas geschehen sollte. In dieser Geisteshaltung war auch der Schweizer Schriftsteller Henri Dunant tätig. Nach der Schlacht von Solferino in Italien, bei der er die sterbenden Verwundeten beider Seiten gesehen hatte, denen niemand half, war seine Idee von einem unabhängigen Sanitätsdienst geboren. Um ihn wirken zu lassen, bedurfte es jedoch einer völkerrechtlichen Übereinkunft – der »Genfer Konvention«. Das war die Grundlage des Roten Kreuzes.

Als es 1863 zur Gründungskonferenz in Genf kam, war auch ein schwäbischer Pfarrer aus Bönnigheim mit dabei: Christoph Ulrich Hahn. Der lernte im August 1863 in Genf die württembergische Kronprinzessin Olga, die spätere württembergische Königin, kennen und konnte sie von seiner Idee begeistern und überzeugen. So trat Hahn am 5. Dezember 1863 mit seiner Idee, einen nationalen Rotkreuzverband zu gründen, vor die Zentralleitung des württembergischen Wohltätigkeitsvereins und begeisterte die Versammlung: Württemberg wurde das erste Land, in dem sich eine nationale Rotkreuzgesellschaft gründete. Hinter den Kulissen wirkte Königin Olga, so dass die staatlichen Genehmigungen schnell erteilt wurden. Und die Bürger zogen mit.

Von der Hilfsbereitschaft von Königin Olga und Herzogin Wera ließen sich viele anstecken. Als etwa der Gründer des Roten Kreuzes, Henri Dunant, völlig verarmt und vereinsamt war, nahm ihn der Stuttgarter Theologe Wagner in sein Haus auf. Hier lebte Dunant in Stuttgart von 1876 bis 1885. Er lernte den Stuttgarter Rudolf Müller kennen, der eine Biographie über ihn schrieb, mit der der erste Rotkreuzler wieder ins gesellschaftliche Bewusstsein zurückkehrte und berühmt gemacht wurde. Die Welt erinnerte sich so wieder an ihn, und er erhielt den ersten Friedensnobelpreis im Jahr 1901.

Die Erkenntnis, dass jeder Mensch von Gott geliebt wird – auch der Einsame, Alte, Kranke, Behinderte, Obdachlose und Verwirrte, ist die eine Sache. Die andere ist, dass es Menschen gibt, denen das nicht nur bewusst wird, sondern die aus dieser Erkenntnis heraus auch handeln.

Das geschah im 19. Jahrhundert überall. So ist es zu den vielen Gründungen von diakonischen Einrichtungen gekommen – und auch zu so weltlichen Einrichtungen wie dem Roten Kreuz.

Heute stehen wir mit unserem Wohlstand vor einem Scheideweg. Vielleicht ist es an der Zeit, dass wieder mehr Frauen und Männer erkennen, dass ihr Wohlstand auch verpflichtend ist. Das wäre ein Aufbruch, den Deutschland braucht.

»Da stehen wir Helden«

Über gar nicht feige Schwaben in Kriegszeiten

Da stehen wir Helden‹, sagte der Frosch zum Schwaben.« So hieß eine viel benützte und belachte Redensart in Deutschland über die Schwaben. Galten sie doch in der Zeit der Renaissance und im Barock als ein ziemlich einfältiger deutscher Volksstamm, was schon die Geschichte von den sieben Schwaben belegt, die damals jedes Kind kannte. Die trotteten durch Deutschland und nahmen am Ende gar vor einem Häschen Reißaus. »Jockele, gang Du vora, Du hasch da griaschte Stiefel a'«, sangen die Kinder im Refrain, um dann weg zu rennen und sich zu verstecken.

Dabei war das nur die Umkehrung einer ganz anderen Geschichte. Denn vor den Schwaben fürchtete sich einmal die ganze Welt.

Als es im frühen Mittelalter noch das Herzogtum Schwaben gab, hatten sie die Ehre, die Reichssturmfahne zu führen. Was bedeutete, dass sie wegen ihrer Tapferkeit mit der Fahne voran die Gegner als erste anzugreifen hatten, was natürlich die höchsten Verluste mit sich brachte. Sie schlugen sich wacker und durften die Fahne über Jahrhunderte hinweg nach vorne tragen.

Das war auch 1513 noch so, als die Truppen des Kaisers Maximilian vor Venedig standen und eigentlich schon geschlagen waren. Die Venezianer waren sich ihres Sieges beim letzten Gefecht so sicher, dass sie alle Familien Venedigs einluden zuzusehen, wie die »Tedeschi« endgültig geschlagen wurden. Dies taten die Familien und prägten so den Begriff »Schlachtenbummler«. Aber es kam anders. Die zerlumpten Tedeschi schlugen unter Führung ihres Landsknechthauptmannes Georg von Frundsberg so drein, dass die Venezianer mit ihren schönen Rüstungen das Laufen lernten, inklusive der Schlachtenbummler. Die Schwaben schlugen derart zu, dass dagegen der Film »Braveheart« ein müdes Säbelgefecht ist.

Das hatte Tradition. Schon Julius Cäsar musste berichten, dass die Schwaben die kriegstüchtigsten aller germanischen Stämme darstellten – nicht einmal die unsterblichen Götter seien ihnen gewachsen – und dass es niemanden auf Erden gäbe, der die Alemannen überwinden könne. Außer ihm natürlich – nachzulesen in seinem Buch »De Bello Gallico«.

Im frühen Mittelalter waren es die Schwaben, die den bedrohten Goten zu Hilfe kamen. Und sie kämpften 552 bis zum letzten Mann. Nicht die Gegner, sondern eine Seuche hat sie hingerafft.

Unter Karl dem Großen trugen sie dann die Reichssturmfahne voran – mit entsprechenden Verlusten. Unter den Hohenstaufern waren sie die ersten Ritter Deutschlands. Bei allen Kreuzzügen waren sie dabei. Und als der letzte Hohenstaufer, Konradin, 1268 das Schafott bestieg, da legte nach ihm ein schwäbischer Ritter aus dem Remstal den Kopf vor den Scharfrichter.

Von König Rudolf von Habsburg (auch ein schwäbisches Adelsgeschlecht) ist überliefert, dass er gesagt hat, wenn man ihm 4.000 schwäbische Ritter und 40.000 schwäbische Landsknechte gäbe, würde er die Welt aus den Angeln heben.

So waren die Schwaben. 955 haben sie unter Führung des schwäbischen Bischofs Ulrich von Augsburg den Sieg über die Ungarn auf dem Lechfeld davon getragen – und Westeuropa vor den Tartaren gerettet. Und als Maximilian 1488 in Flandern durch Verrat in Gefangenschaft geraten war, haben ihn die Schwaben herausgehauen. Daher waren sie auch wieder mit dabei, als die Türken vor Wien lagen. Mit der letzten Schlacht haben sie 1683 die Stadt befreit. Prinz Eugen wurde zum Sieger erklärt, und die Wiener rösteten die erbeuteten grünen Bohnen, bis sie schwarz wurden, und eröffneten dann die ersten Kaffeehäuser Europas. Die Schwaben hatten dazu keine Zeit, denn sie mussten für Prinz Eugen, den angeblich edlen Ritter, Belgrad erobern. Was sie auch taten: Sie standen als erste in der eroberten Stadt.

Dann der Schwabe Georg von Frundsberg. Er organisierte zum ersten Mal aus den verwilderten Söldneransammlungen so etwas wie eine Armee. Mit Disziplin und Regeln. 1522 hat er damit gegen eine dreifache Schweizer Übermacht gewonnen und den Mythos der Schweizer Überlegenheit zum ersten Mal gebrochen. Die Schweizer haben daraus gelernt und sich anschließend mehr mit Geld beschäftigt, während die Schwaben nach wie vor ihre Haut zu Markte trugen.

Keine Sorge: Hier soll nicht dem Militarismus gehuldigt werden. Aber für das Bild vom feigen Schwaben gibt die Historie nichts her. Vielmehr ist es faszinierend zu sehen, wie die historischen Ereignisse in ihr Gegenteil verkehrt wurden. Aus den tapferen Schwaben wurde aus Neid eben das Bild des feigen Schwaben. Aus den Helden von einst wurden die Sieben Schwaben, die vor einem Häschen davon rennen. So wie die Kölner ihre Unterdrücker, die Preußen und Franzosen, heute mit ihren Karnevalsuniformen und Orden auf die Schippe nehmen. Historiker können noch die alten Uniformen beim Rosenmontagszug erkennen und deuten.

Die Schwaben trugen ihre Haut zu Markte, sonst nichts. Und wenn es einmal Erfolg gab, vereinnahmten ihn andere. Georg von Frundsberg hat zum ersten Mal eine einheitliche Soldatenuniform geschaffen, die damals überall nachgenäht wurde: geschlitzte Pluderhosen, gespaltene Wämser und ein keckes Federbarett auf dem Kopf. Das war das erste und einzige Mal, dass eine internationale Mode aus Deutschland kam. Niemand geringeres als Michelangelo hat diese Mode kopiert, als er vom Papst den Auftrag bekam, eine Uniform für die päpstliche Garde zu entwerfen. Man sieht sie noch heute: die Schweizer Garde des Papstes trägt sie.

»Jockele, gang du vora'«

[jogɛlə gaŋ du: fo:ra:]

Über die Sieben Schwaben

Jockele, gang du vora'. Du hasch de griaschte Stiefel a'«. Die Sieben Schwaben – so erzählt es die Legende – vermuteten ein Ungeheuer vor sich und besprachen, wer den Angriff am gemeinsamen Spieß führen sollte. Die Wahl fiel auf Jockele. Der Angriff ging daneben. Bevor sich das Ungeheuer als schlichter Feldhase zeigen durfte, waren sie alle davongerannt und ertranken im Fluss. Deutschland lachte über die Schwaben.

Das war seit dem 15. Jahrhundert so: Deutschland lachte über die »einfältigen Schwaben«, und noch in den Bühnenstücken des 19. Jahrhunderts hatte der größte Trottel auf der Bühne immer einen Schwabenkittel an und »schwäbelte«. Deutschland schlug sich auf die Schenkel vor Lachen.

So hält sich bis heute das Bild vom tumben Schwaben in der Erzählung von den Sieben Schwaben. Besonders gern wird es von den bayerischen und badischen Nachbarn gepflegt. Und trifft dabei auf einen schwäbischen Minderwertigkeitskomplex, der dieses Bild nur zu gern zu übernehmen scheint. Einerseits ist man hierzulande stolz auf die schwäbischen Dichter und Tüftler, andererseits ist man verletzt, wenn man mal wieder als Hinterwäldler mit Sparbuch und Kehrwoche hingestellt wird. So ist die baden-württembergische Werbekampagne »Wir können alles – außer Hochdeutsch« schon ein sehr mutiger Schritt. Geduckt hat man abgewartet, wie so viel Hochmut außerhalb der Landesgrenzen aufgenommen wird, und ist doch positiv überrascht, dass nicht nur Hohn und Spott deswegen auf einen niedergehen. Ja, der Schwabe ist sogar ein bisschen »helenga« stolz auf diesen Werbeeinfall, den ein Exilschwabe in Berlin mit seiner Werbeagentur erfunden hat. Im Ländle hätte man sich das nicht getraut.

Überhaupt die Sieben Schwaben. Auf die alte Geschichte, die aus dem Mittelalter stammt, wird gern verwiesen, wenn man über die Schwaben spottet. Dabei lohnt sich eine nähere Betrachtung der Sieben Schwaben.

Einen nannte man den »Seehas«. Der stammte aus Überlingen am Bodensee. Den »Gelbfüßler« traf man in Bopfingen, der »Knöpfleschwab« stammte aus dem Ries, der »Nestelschwab« aus Freiburg, der »Blitzschwab« kam vom Lechfeld (also aus Augsburg, das seit 1806 zu Bayern gehörte), der »Spiegelschwab« stammte aus Memmingen (ebenfalls Bayern seit 1802). Und der »Allgäuer« stammte nicht einmal aus Oberschwaben, das bis 1806 zur Habsburgermonarchie gehörte und dann ebenfalls bayerisch wurde. In der ganzen Geschichte kommt keiner aus Stuttgart, dem Neckartal, dem Remstal, von der Alb – kurz: aus dem württembergischen Kernland. Das muss einmal in aller Deutlichkeit gesagt werden.

Trotzdem standen sie alle für Schwaben. Und das mit Recht. Denn historisch gab es keinen Unterschied zwischen Alemannen und Schwaben. Auch wenn das die Badener bis heute nicht gerne hören. In der Zeit der Völkerwanderung gab es einen einheitlichen Siedlungsraum vom Elsass bis zum Lech und weiter bis zum Gotthard. Überall sprach man die gleiche schwäbische Sprache. Genauer gesagt: man sprach »staufisch«. Von Kaiser Heinrich VI. sind aus der damaligen Zeit Gedichte erhalten. Eines davon beginnt so: »Mir sind diu rîche und diu lant undertân, swenn ich bî der minneclîchen bin«, in unsere Sprache übersetzt: »Mir sind die Reiche und die Lande untertan, wenn ich bei der Liebenswerten bin.«

Diese Sprache sprach und verstand man in ganz Alemannien. Später kamen dann aus dem Bayerischen die Lautverschiebungen, von denen sich allerdings das Gebiet des heutigen Alemannischen nicht beeindrucken ließ. Dort hieß es weiterhin »I bi im Huus g'si«, während man in den anderen Landesteilen langsam anders sprach: »I be em Haus g'wea!«. Aus den gleichen Wurzeln haben sich so die verschiedenen Dialekte entwickelt.

So gesehen ist das Alemannische das ältere Schwäbisch. Darauf könnten die Badener eigentlich stolz sein, statt immer zu betonen, dass ihr Alemannisch nichts mit dem Schwäbischen zu tun habe.

»Der isch verdöffelt worden«

[der isch fɘdøflt wordŋ]

Die Schlacht bei Döffingen 1388

Es ist schon wahr: Das Schwäbische als eigenständiger Dialekt stirbt langsam aus. Natürlich gibt es noch die schwäbische Mundart: Wer im Ländle geboren ist, redet schwäbisch – oder das, was man dafür hält. Es ist meist Hochdeutsch mit schwäbischem Akzent. Genauer betrachtet ist es das Stuttgarter Honoratiorenschwäbisch, was Norddeutsche für unverständliches Schwäbisch und wir für unser bestes Schriftdeutsch halten. »I ha'n Zoi en d' Eck neikeiht« (Ich habe den Korb in die Ecke geworfen) oder »s'Häs« (die Kleidung) ist eben echtes Schwäbisch, das kaum noch jemand versteht, so wie »verdöffeln«: jemanden schlagen, und zwar mit ein wenig List.

Wer will hier eigentlich wen »verdöffeln«?

In Döffingen, zwischen Böblingen und Weil der Stadt gelegen, kam es 1388 zur Entscheidung. Nach dem Untergang der Staufer versuchten die Städte »frei« zu werden und sich direkt ans Reich anzuschließen. Gleichzeitig versuchten die Grafen mehr Einfluss und Macht zu gewinnen. So war das auch in Württemberg, wo die freien Reichsstädte ihre Rechte ausbauten und gleichzeitig die Grafen von Württemberg versuchten, ihr Gebiet zu vergrößern, ihren Einfluss zu festigen und die Grenzen deutlicher zu gestalten. Auch wenn man dem Grafen Eberhard dem Zänker später den Beinamen »der Greiner« gab – beide Namen meinten das Gleiche: ein Streithammel ohnegleichen und Sturkopf obendrein. Echt schwäbisch eben. Der wollte natürlich den Reichsstädten wie Esslingen, Reutlingen und eben auch Weil der Stadt, die inmitten seines Gebietes lagen, ihre Privilegien nehmen. Das ganze schwäbische Volk war gespalten. Die Reichsstädte verbündeten sich, und es kam 1388 in Döffingen zur Schlacht. Auf dem Friedhof um die kleine Wehrkirche fand das Gemetzel statt. Die Württemberger siegten mit Gewalt, List und Kraft. Die Reichsstädte mussten eine Niederlage einstecken.

Ludwig Uhland hat das im letzten Jahrhundert noch besungen:

»Am Ruheplatz der Toten, da pflegt es still zu sein,
Man hört nur leises Beten bei Kreuz und Leichenstein.
Bei Döffingen war's anders; dort scholl den ganzen Tag
Der feste Kirchhof wider von Kampfruf, Stoß und Schlag.«

Die Niederlage, bei der 66 Kämpfer aus Weil der Stadt fielen, versetzte die Menschen in einen solchen Schock, dass man noch lange davon sprach und das Erlebnis in die Umgangssprache mit aufnahm – eben jemanden »verdöffeln«.

Von nun an ging es mit dem Adel wieder aufwärts und mit den Bürgerlichen abwärts. Das ist spitz formuliert, beschreibt aber den Weg hin zur monarchisch einsamen Entscheidung eines Herrschers statt zu Entscheidungen mehrerer, wie sie in den städtischen Ratsversammlungen nötig waren, auch wenn auf beiden Seiten über Jahrhunderte hin das einfache Volk nichts zu melden hatte.

Nur wenige Jahre vor der Schlacht von Döffingen hatte sich die Schweizerische Eidgenossenschaft von der Vormundschaft des Adels losgesagt und damit einen anderen Weg der Politik gezeigt. Nach der Schlacht von Döffingen war das auf deutschem Gebiet, auch weit über die Landesgrenzen hinweg, nicht mehr möglich.

Damit waren auch wichtige Entscheidungen für die zukünftige Sozialarbeit gefallen. Sie lag nun allein in der Hand des Monarchen, jeweils im Zusammenspiel mit der Kirche, aber nicht mehr in der Abstimmung der Bürger, die sich ja auch – ob sie wollten oder nicht – um die Armen in ihrem Gebiet kümmern mussten.

Wenn es herausragende Persönlichkeiten gab, wie Herzog Christoph und sein Johannes Brenz, wie die Königinnen Katharina und Olga, ging das gut. Ansonsten ging es schlecht in württembergischen Landen.

So hat selbst ein »Verdöffeln« Konsequenzen, die sich über Jahrhunderte hinweg auswirken können. Leider nicht immer zum Guten.

»Oiges G'wächs«

[oigəs gwɛks]

Der Wein und die Schwaben

Wein ist die edelste Arznei, wenn man ihn genießt, wie man soll.« Die alten Apotheker in Schwaben kannten sich aus. Die Deutschen trinken heute rund 22 Liter Wein pro Kopf und Jahr. Sagt die Statistik. Allein die Württemberger bringen es auf 45 Liter. Deshalb sind sie noch lange nicht zu einem Volk von Alkoholikern geworden. Die meisten wissen mit ihm umzugehen. Dazu gehört nicht nur das Wissen um die württembergische Lieblingssorte, den Trollinger. Mögen ihn auch internationale Gourmets verachten und Schickimickis – mit einem Glas Prosecco in der Hand – dumme Sprüche darüber klopfen. »Ein wackrer Schwabe forcht sich nit«, denkt er, schweigt dazu, sinniert über seinem Viertelesglas mit grünem Henkel und wundert sich, wie man eine solche mit Zucker und Kohlensäure aufgeschäumte »Fassputzete« wie Prosecco überhaupt trinken kann – Mode hin oder her. Er bleibt bei seinem Trollinger und die Spötter sollen Kopfweh haben.

Württemberger haben eben ein besonderes Verhältnis zu ihrem Wein. Und der schwäbische Wein zu seinen Genießern. Beide können sogar miteinander Zwiesprache halten. Gedanken werden ausgetauscht und schon manches Mal wurde eine neue Idee daraus. Das ist echt schwäbische Dialektik. Kein Wunder sprach Hegel dem schwäbischen Wein zu und ließ ihn sich sogar nach Berlin kommen, als er in seinen dialektischen Vorlesungen an der Berliner Universität diesem schwäbischen Denken – hin und her bewegend zwischen These und Antithese, bis sich eine neue Synthese daraus bildet, die zugleich auf der nächst höheren Ebene als These schon wieder zum Ausgangspunkt für neues widersprüchliches Denken wird – nachkam bis zur Ausformulierung des »Weltgeistes« zum philosophischen Meilenstein und zum Grundstein der preußischen Staatsphilosophie.

Das macht uns keiner nach.

Römisches Erbe und mönchisches Wissen

Fairerweise muss man zugeben, dass die Alemannen nicht den Weinbau erfunden haben. Zwar dürften die Kelten schon von den süßen Beeren der wilden Weinreben in den Flußauen genascht haben. Doch erst die römischen Besatzungstruppen brauchten täglich Wein. Der wurde in eingedickter Form aus Italien eingeführt. Je länger aber die Besatzungszeit in Germanien dauerte, umso mehr mussten die römischen Gutshäuser auch die Weinversorgung in Germanien übernehmen. Über 800 dieser Gutshäuser (villae rusticae) haben die Archäologen in Württemberg gezählt – sie alle hatten einen Weinkeller. Unzählige Funde beweisen das. Vermutlich haben die Germanen, als sie anfingen die Römer zu vertreiben, römische Weinorte wie Walheim verschont. Denn dort lässt sich ein kontinuierlicher Weinanbau nachweisen.

Die ersten urkundlichen Erwähnungen finden wir in Verträgen der Klöster in der Zeit der Christianisierung. Die Klöster brauchten nicht nur für ihre Gottesdienste Wein zum Abendmahl. Auch als Arznei wurde der Wein in zahlreichen Würzmischungen gebraucht. An den ersten Höfen, die dann zu Burgen wurden, wurde Wein ausgeschenkt. Dies geschah nicht nur zu repräsentativen Zwecken, um zu zeigen, welcher Wohlstand sich dort angesammelt hatte. Es waren auch ganz einfach hygienische Gründe. Bis ins 19. Jahrhundert wurde der tägliche Tischwein – im Waisenhaus zu Stuttgart am Karlsplatz bekam jedes Kind jeden Tag einen halben Liter Wein – zu einer Lebensversicherung. Gerade in den Sommermonaten wimmelte das Trinkwasser aus den Brunnen und Zisternen nur so von Larven und Krankheitserregern. Wein war da viel gesünder.

Die erste urkundliche Erwähnung von Wein finden wir 766 in einer Schenkungsurkunde an das Kloster Lorsch an der Bergstrasse. Weinberge um Heilbronn wechselten da den Besitzer. 769 finden wir Mühlacker erwähnt, 777 Esslingen, 793 werden zwei Weinberge bei Bönnigheim gestiftet, um eine Kirche auf dem Michaelsberg bei Cleebronn zu finanzieren. Dann folgen Urkunden aus jedem Jahr, die zeigen, dass es bereits eine große Anzahl an Weinbergen in Württemberg gegeben haben muss.

Das waren freilich noch ganz einfache Weine. Erst die Zisterzienser brachten einen Kulturschub. Mit ihrem Wissen aus Burgund veredelten sie auch die Württemberger Weine. Bestes Beispiel dafür ist das Kloster Maulbronn. Während der strengen Fastenzeit bekamen die Mönche auch keinen Tischwein mehr. Um ihnen aber ein Ziel auf Ostern hin zu geben, wurde täglich in eine Rinne an einer der Säulen im Speiseraum, dem Refektorium, etwas Wein aus der besten Lage hineingefüllt. Daran konnten sich die darbenden Mönche die Finger benetzen. »Ach, wenn ich doch nur elf Finger hätte«, soll ein Mönch sehnsüchtig ausgerufen haben. Diese Geschichte gab dem bis heute besten Weinberg seinen Namen: Maulbronner Eilfingerberg.

Die Landschaft liebt die Traube

Schon bald haben die Mönche entdeckt, dass der Boden eine besondere Rolle für den Wein spielt. In Württemberg gibt es hauptsächlich die Verwitterungsböden von Muschelkalk und Keuper. Am Albtrauf sind der Eisensandstein und die Kalke des Braunen Juras entscheidend. Um Metzingen ist es der Basalttuff, am Bodensee gibt die Molasse, zermahlener, zusammengebackener Gesteinsschutt aus der Tertiärzeit, den passenden Boden. Im Unterland sind es Löss und Lösslehm, die dem Wein sein von den Schwaben so besonders geliebtes »Bodeng'fährtle« geben und Lembergerfreunde in Verzückung bringen. In Hohenlohe und an der Enz besorgt dies der Muschelkalk, im mittleren Neckartal der Gipskeuper. Jeder Boden bringt eben einen besonderen Wein hervor. Das haben die Wengerter schon früh erkannt und dazuhin noch die Trockenmauern erfunden, um den Wein auch die Berge hochklettern zu lassen. Auch wenn die letzte Flurbereinigung das alles wieder nivelliert hat, an vielen Weinlagen sieht man bis heute noch die Terrassenmäuerchen. Natürlich ist die Arbeit dort schwieriger, fließt der Schweiß der Wengerter häufiger und wird darum der Wein auch teurer – aber er schmeckt eben auch besser.

Die Rebe prägt die Menschen – und umgekehrt

»Oiges G'wächs!«, lobt der Wengerter seine Arbeit, wenn ihm der Wein gut geraten ist. »So hat's der Herrgott halt wachsa lau«, stellt er fest, wenn der Wein einmal nicht so gut geraten ist und die Viertelesschlotzer den Mund wegen der Säure arg verziehen. Der Schwabe hat ein inniges Verhältnis zu seiner Arbeit und begeht die tägliche Arbeit wie einen zweiten Gottesdienst. Deshalb arbeitet der Schwabe auch nicht – er »schafft«.

Alle lebten irgendwie mit und von den Reben. Selbst Stuttgart! Die Haupt- und Residenzstadt hatte so viele Weinberge, dass sie neben Würzburg und Wien die größte Weinbaugemeinde des Heiligen Römischen Reiches war. 1484 gab es in der Stadt so viel Wein und so wenig Wasser, dass der Mörtel der Stiftskirche damit angerührt wurde. Es gibt Stuttgarter, die sind heute noch überzeugt davon, dass die Mauern der Stiftskirche, die bei der Bombardierung der Stadt 1944 stehen blieben, diejenigen waren, die damals aus Weinmörtel hochgezogen worden waren.

Der Wein aus Württemberg war berühmt. Maulbronner Eilfingerberg wurde im Vatikan getrunken. Von 1527 ist eine Weinbestellung der Gemahlin des Erzherzogs Ferdinand aus Wien überliefert, die für ihre tägliche Versorgung im Kindsbett Wein aus Stuttgart bestellte. »Nun sein wir den Neckarwein dermaßen gewohnt, dass uns ganz zuwider und schwer wär, anderen Wein zu trinken.« Der so genannte Neckarwein wurde als »Schleckerwein« gerühmt.

Die Kunst des Weinbaus und der schwäbische Tüftlergeist

Der Weinberg forderte seinen Tribut. Selbst wenn im Frühjahr alles erfror oder im Sommer alles verhagelte – der Weinberg musste jeden Tag bearbeitet werden. Jahr für Jahr. Jahrhundert für Jahrhundert. Das erzieht einen Menschenschlag auf seine Weise. Aufgeben gibt es nicht. Das nächste Jahr kann wieder besser werden. Nicht aufgeben. Hart arbeiten. Dabei sich seine Gedanken machen, was man anders und besser machen könnte. Eine solche Haltung bringt Tüftler, Weltverbesserer, Sinnierer und Erfinder hervor. Genau das nehmen die Schwaben für sich in Anspruch: »Wir können alles – bloß kein Hochdeutsch«.

Der Schwabe und sein Wein

Die beiden – der Wein und die Schwaben – gehören untrennbar zusammen. So war es in guten Häusern in Schwaben im 19. Jahrhundert noch undenkbar, Bier zu Tisch zu reichen. Daher kamen die Brauereien in Schwaben auch erst spät auf. Noch 1890 wurde im Evangelischen Stift zu Tübingen der tägliche Tischwein gereicht und erst abgeschafft, um mit dem dann zur Verfügung stehenden Geld einen Musiklehrer zu finanzieren. Eine Initiative von Stiftlern versuchte dies noch 1975 wieder rückgängig zu machen, »weil damals der gesellschaftspolitische Niedergang des Stiftes eingesetzt« habe. Der Oberkirchenrat in Stuttgart sah das anders und erteilte dem Vorhaben eine Absage.

»Der Wein erfreut des Menschen Herz«, weiß der 104. Psalm. Aber die Bibel kennt auch die Schattenseiten des Alkoholgenusses und nennt ihn unverblümt: »Der Wein macht lose Leute« (Sprüche 20,1). Hosea bringt es auf den Punkt: »Hurerei, Wein und Most machen toll«, und Paulus warnt die Epheser »Saufet Euch nicht voll Weines.« Die Bibel kennt eben alle Seiten des Menschen.

Das muss man wissen, um recht mit der Gabe Gottes umzugehen. So hat es der weltberühmte Arzt und Schwabe Bombastus von Hohenheim zusammengefasst: »Alles ist Gift und alles ist Arznei – allein die Menge macht es.« Dem ist nichts hinzuzufügen, oder wie der Schwabe dialektisch sagt: »So isch's no au wieder.«

Erbfeind Frankreich? »Sau'domms G'schwätz«

[saudoms kschwɛts|

Württemberger Riesling aus dem Elsass

Die Neugierde kam beim Wein. Nichts ahnend saß der schwäbische Gast in einer Elsässer »Wi'stub« bei Flammkuchen und Riesling. Der Wein schmeckte so gut, dass die Flasche genauer untersucht wurde: Das Etikett beherrscht ein Wappen, auf dem unschwer die württembergischen Hirschstangen zu sehen sind. »Hie gut Württemberg allewege« im Elsass? War das nur der Einfall eines Graphikers oder hatte das geschichtliche Gründe? Der Frage musste nachgegangen werden.

In Riquewihr wurde die Neugier befriedigt. In dieser kleinen Stadt am Oberrhein, nicht weit von Colmar, sind die württembergischen Hirschstangen im Ortswappen und überall an den Häusern und Brunnen zu finden. Denn Riquewihr war Jahrhunderte lang württembergisch – von 1324 bis 1792. Das Stadtwappen mit den Hirschstangen ziert heute noch die Weinetiketten eines bekannten Weinhändlers der Stadt.

Die Ortschaft Reichenweier gehörte zum größten Teil den Grafen von Horburg. Weil sie kinderlos waren, verkauften sie 1324 ihre Grafschaft dem Grafen von Württemberg. Das passte dem Bischof von Strassburg nicht, der ebenfalls Rechte im Städtchen Reichenweier hatte. Er ließ die Stadt überfallen und den gesamten Weinvorrat plündern. Nach ausführlichen Verhandlungen erkannte der Bischof die württembergischen Rechte an, gab aber den Wein nicht mehr zurück. Der war schon längst getrunken.

1397 wurde Graf Eberhard IV. (genannt »der Jüngere«) mit Gräfin Henriette de Montfaucon verlobt und erwarb dadurch die Grafschaft Montbéliard (Mömpelgard). Mömpelgard wurde Sitz der Zentralverwaltung der linksrheinischen Gebiete Württembergs. Nun herrschte Henriette von Mömpelgard auch über Reichenweier. Ein Zeitgenosse bezeichnete sie einmal als »ein herzenhafte Fraw wie ein Mann«, was aber nicht lobend gemeint war. Eine »Scharpfe Schulmeisterin« wurde sie genannt. Dies blieb bis heute. Mit Henriette sei der erbliche Schwachsinn über das Haus Württemberg gekommen, ist bei Alt-Württembergern immer noch zu hören. Dabei gab es auch andere zeitgenössische Stimmen. Die junge Witwe, die ja auch Württemberg regierte und die Vormundschaft über ihre Söhne mit 32 (!) württembergischen Räten teilen musste, habe das Land »nach ihres Hauswirts Tod wol in gueten Friden regiert«, »mit großem Ruhm und treffentlicher guter Haußhaltung wider alle Anstöß, mehr als einem Weibsbild müglich sein solt«. So hat sie immer vor Weihnachten Kinder beschenkt – ein Brauch wurde gestiftet, den es heute noch gibt. Vor Weihnachten kommt nicht der Nikolaus und beschert die Kinder, sondern »tante Arie« – die Koseform von »Henriette«.

Reichenweier hat ebenfalls von ihr profitiert – sie organisierte den Weinhandel professionell – und wurde von seinen Weinen reich. Die Einwohner Reichenweiers setzten schon früh auf Qualität und verbesserten sie. 1575 wurde das Verbot der »Anpflanzung unedler Stoekh« erlassen. Der Wein wurde berühmt. Ein alter Spruch vergleicht die Elsässer Weine mit ihm: »Doch gegen die Rechenweier Sporen haben sie alle das Spiel verloren.«

1534 wurde die württembergische Reformation in Reichenweier eingeführt. Es folgte der Brenz'sche Katechismus, die württembergische Schulordnung und ein eigenes Konsistorium (Oberkirchenrat). Die Lateinschule wurde über die Grenzen hinaus berühmt. Den besten stand das Stift in Tübingen offen. Reichenweier kam zu großem Wohlstand.

Herzog Carl Eugen, der für seine Mätressen und Schlösser in Ludwigsburg und Stuttgart immer Geld brauchte, verpfändete die Weinberge Reichenweiers für 500.000 Livres an Voltaire. Als der Herzog die Hypothek von den Weinbergen auf spanische Silberminen umwidmen wollte, machte Voltaire nicht mit: »Ich ziehe die Reben von Reichenweier vor«, soll er dem Herzog geantwortet haben. So wird es im Schwäbischen Städtle in Frankreich noch heute erzählt. 1789 wurde die Revolution dort mit großer Begeisterung aufgenommen. In der kleinen Stadt gab es einen eigenen Jakobiner Club und den einzigen »Freyheitsaltar« im ganzen Elsass. Ihn kann man heute noch am Ortseingang besichtigen.

Riquewihr ist längst zu einer Touristenattraktion des Elsass geworden. »Das elsässische Rothenburg« wird es genannt. Berühmt sind aber immer noch seine Weine. Der »Schönenberg« ist die bekannteste Einzellage der Stadt und hat heute eine Grand Cru Klassifizierung. Merian hat ihn schon 1645 gekannt: »... da der edelste Wein dieses Landes wachset«.

So sitzt der Schwabe beim Riesling und erkennt mit jedem Glas mehr, wie klein doch die Welt ist, was miteinander verbunden ist und wie doch das Reden der Großväter vom »Erbfeind Frankreich« nichts anderes als »a sau'domms G'schwätz« ist, und er wird »a bißle helenga stolz« auf die alte Verbundenheit.

»Wenn'd Moscht mag'sch, no mag'sch au mi!«

[wend moschd ma:gsch, no ma:gsch au mi:]

Der Schwabe und sein Most

A g'scheits Vesper, a Vesperbrettle, a scharfs Messer ond en Moscht – ond no isch d'Welt wieder en Ordnung!« Es sind eben nur wenige Dinge, die ein Schwabe zum inneren Seelenfrieden braucht. Gibt sich einer dem anderen als Mosttrinker zu erkennen, weiß der andere, dass er eine verwandte Seele gefunden hat.

Auch wenn Württemberg einmal das Weinland des Heiligen Römischen Reiches Deutscher Nation war – bis die Reblaus kam und alles vernichtete –, ist der Most immer das Nationalgetränk der Schwaben geblieben. Und damit auch die Suchtgefahr Nummer Eins. Wein wurde zwar angebaut, doch der musste verkauft werden. Jeden Herbst kamen die Weinhändler, und es wurde gefeilscht und geschachert. Einmal im Jahr gab es Geld, und die alten Schulden konnten bezahlt werden – oder auch nicht. Es reichte eigentlich nie, und so wurde der eigene Wein nicht getrunken. Die Erlöse beim Händler reichten kaum zum Überleben. Kein Wunder, dass sich die Wengerter gegen die Händler zu Weingärtnergenossenschaften zusammenschlossen, um Ausbau und Vermarktung des Weines in den eigenen Händen zu behalten und somit mehr Geld zu erlösen. So sind die Schwaben nicht nur die Erfinder der Bausparkassen geworden, sondern auch die Erfinder der Weingärtnergenossenschaften. Weil Wengerter untereinander extrem misstrauisch waren, wurden in vielen Orten die Leiter der pietistischen »S'tond« zu Kassierern gewählt. Ihnen traute man am ehesten zu, gegenüber allen gerecht und unbestechlich Buch zu führen. Denn nach den Eintragungen im Erntebuch wurde im Jahr nach der Ernte auch ausbezahlt.

Natürlich waren Menschen auch damals alkoholsüchtig. Oder sie ließen »Stomba blotza« – das heißt sie rauchten Zigarren. Mehr Gifte gab es nicht. In Zeiten der Armut und Ausweglosigkeit war die Gefahr groß, dass die Männer alkoholkrank wurden.

Der Most war nicht ungefährlich. Denn er wurde jeden Tag getrunken – schon allein deshalb, weil im Sommer das Trinkwasser ungenießbar war. Wenn das Brunnenwasser von Tierchen wimmelte, war der Most doch einigermaßen rein und relativ keimfrei. Schon in einem kleinen Haushalt wurden rund 1.000 Liter Most als Jahresbedarf gemostet und in Holzfässern im Keller gelagert. Allerdings wurde der Most früher verdünnt. In der Regel kam auf den frisch gepressten Saft noch einmal die gleiche Menge Wasser. Wurde früher aus einem Zentner Obst (ideal war das Mischungsverhältnis von zwei Dritteln Äpfeln und einem Drittel Birnen) rund 70 Liter Most gewonnen, sind es heute meist 30 bis 35 Liter. Der Most hat rund die Hälfte des Alkoholgehaltes von Wein, um die fünf Prozent, früher wegen der Verdünnung mit Wasser ein Viertel.

Die ganze Familie trank jeden Tag Most. Auch die kleinen Kinder. Da so frühes Gewöhnen an den Alkohol auch seine Folgen hatte, brachte das den Schwaben den Spitznamen »Moschtköpf« ein. Bis ins 19. Jahrhundert ist überliefert, dass es sogar eine Mostmethode gab, um unwillkommenen Nachwuchs schnell wieder loszuwerden. Most ließ man offen stehend zu Essig werden. Damit tränkte man ein Stück Kandiszucker, den man den neugeborenen Babys, in ein Sacktuch gehüllt und hinten abgebunden, als »Schlotzer« gab (eine frühe Form des Schnullers). Die so behandelten Neugeborenen starben alle an tödlichem Durchfall.

Die Armut und der Hunger in den letzten Jahrhunderten war so groß, dass die Verzweiflung solche Erfindungen hervor brachte. Man kann es auch umdrehen: Wie groß muss Hunger und Verzweiflung gewesen sein, dass die Menschen in ihrer Not zu solchen Taten griffen?

Auch die Erwachsenen hatten schwer unter zu viel Most zu leiden. Denn der Mostrausch gilt bis heute als härteste Herausforderung an Herz und Kreislauf. Schon mancher ist nicht mehr aufgewacht. Durch die vielen ätherischen Bestandteile von Äpfeln und Birnen – umgangssprachlich als Fuselstoffe bezeichnet – ist der Mostrausch unberechenbar und zieht sich über Tage dahin. Jeder zusätzliche Schluck Wasser löst neues Aufbrausen der Fuselstoffe im Kreislauf aus, erzählen altgediente Mostkenner. »Do woisch nemmer, wo de bisch, sto'sch zwei oder drei Tag nemme uff, hasch en Schädel wia a Dampfmasch'e und glaubsch, d' stirbsch«, so der authentische Bericht von einem Überlebenden.

Aus übrig gebliebenem Most Schnaps zu brennen – also »Obstler« – ist relativ neu. Früher gab es Branntwein nur unter Soldaten und dem fahrenden Volk und war für die normale schwäbische Bevölkerung ohnehin zu teuer. Aber nach dem Ersten Weltkrieg war es durch die Reichsbranntweinverordnung möglich, sich eine Lizenz fürs Destillieren zu beschaffen. Kein Wunder, dass bis heute 2/3 der rund 25.000 Kleinbrennlizenzen von Deutschland in Baden-Württemberg vergeben sind, so sehr sich der Zoll auch anstrengt, diese riesige Menge an zu überwachenden Brennrechten einzudämmen und zum Erlöschen zu bringen. Wehe dem, der einmal schwarz brennt. Die Lizenz ist für immer weg.

Der Most gehört zur schwäbischen Seele. Wer Most trinkt, rettet auch die sich in Gefahr befindenden, für Schwaben so typischen Streuobstwiesen. Denn dort wachsen die kleinen »verhutzelten« Äpfel und Birnen, die man zum Mosten braucht, und sie geben zugleich der einheimischen Flora und Fauna Überlebensinseln, ohne die sie längst zum Aussterben verdammt wäre.

Trotzdem: Alkohol ist Alkohol. Und so sind die ersten »Trinkerheilanstalten« eben auch in Schwaben entstanden, um der Volksseuche Alkoholismus zu begegnen. Denn mit der Industrialisierung und Entwurzelung von Hunderttausenden von Menschen bekam auch der Alkohol eine neue Bedeutung.

Bleibt dem wackeren Schwaben nur die Erkenntnis von Paracelsus: »Alles ist Gift und nichts ist Gift. Allein die Menge macht den Unterschied.«

»D'r Apfel ond d'Luschd«

[dɘ apfl ond dluschd]

Schwäbische Gedanken zum Thema »Apfel«

Seit der Vertreibung aus dem Paradies wissen die Menschen, dass Apfel und »Luschd« etwas miteinander zu tun haben. Die Schwaben wissen es noch genauer, denn bei der Geschichte mit Eva »isch koin Sega drauf«. Mit der »Luschd« haben es die Schwaben schon noch, aber nur beim Schaffen.

Bis zur Reformation galten die Schwaben als das lebenslustigste Völklein im Deutschen Reich. Die schwäbisch-alemannische Fasnet ist heute noch ein bescheidener Hinweis auf diese alte Tradition. Die Schwaben trieben es so toll, dass die Reformatoren genug Angriffsziele für ihre Reformen fanden. Das Frauenkloster in Kirchheim/Teck etwa war mit seinen adeligen Nonnen als Freudenhaus über die schwäbischen Grenzen hinaus bekannt. Nach der Reformation war damit Schluss. Die Kirchenzucht und das Überwachungswesen trugen dann über Jahrhunderte solche Früchte, so dass das Bonmot heute noch gilt: Ein Leichenschmaus im katholischen Oberschwaben ist zehnmal lustiger als der Karnevalsumzug im einst protestantischen Stuttgart.

Bei den Alemannen galt der Apfel als Fruchtbarkeitssymbol. Im kollektiven Unterbewusstsein der Schwaben blieb das erhalten. Wenn man im Mittelalter über ein Mädchen sagen konnte: »Sie hat des Apfels Kunde nit«, bedeutete das, dass sie noch nicht aufgeklärt war. Der schwäbische Jüngling überreichte seiner Angebeteten einen Apfel. Nahm sie ihn an, wurde seine Liebe erwidert. Die Braut warf beim Hochzeitstanz den »Brautapfel« den Mädchen zu. Wer ihn auffing, sollte die nächste Braut werden. Als im 19. Jahrhundert der Weihnachtsbaum seinen Siegeszug von den bürgerlichen Wohnstuben in die Bauernhäuser antrat, wurde er dort mit roten Äpfeln behängt. Später lösten rote Christbaumkugeln aus Glas die roten Äpfel der Fruchtbarkeit ab.

Die Schwaben hatten also ein inniges erotisches Verhältnis zu den Äpfeln. Und das übertrugen sie auch auf ihren Most. Wenn es im Keller blubbert und »pfutsget«, der Most also »schafft« und dabei der Fruchtzucker zu Alkohol vergärt, ist das ein erhebendes Geräusch in schwäbischen Ohren. Und wenn er zum ersten Mal angestochen wird und probiert werden kann, ist das ein feierlicher Moment voller Andacht und Würde. Glücklich derjenige, der einen Keller hat, in dem man Most gären und lagern kann. Ein moderner Betonkeller, durch den Heizungsrohre laufen, taugt dazu nicht.

»Mosttrinker sind Naturschützer« rühmen sich echte Mosttrinker und vergessen vor lauter Stolz gerne, dass sie nicht nur mit den sauren Mostäpfeln die berühmten Streuobstwiesen am Leben halten, sondern eben auch ein alkoholisches Getränk mit rund fünf Prozent Alkohol erzeugen, das einen gewaltigen Mostrausch zur Folge haben kann.

Oder ist das eben auch eine Folge der »Luschd«, die im Paradies begann und zur Vertreibung der Menschen daraus führte?

»So isch's no au wieder«, seufzt der Schwabe, holt sich im Keller noch ein Krügle Most und sinniert über Gott und die Welt, die Menschen und über die Sünde.

»Meiner Mama ihr'n Kartoffelsalat«

Die Kartoffel, das Mitbringsel der Waldenser

Ja, da glänzen schwäbische Augen. Wenn es um den Kartoffelsalat geht, kennen die Schwaben keinen Spaß. Jedes Jahr hat der Hamburger Fischmarkt in Stuttgart hinter dem Alten Schloß seine treuen Besucher. Backfisch, Aal und saurer Hering »ka mr essa«. Sogar Labskaus, »isch wia Rüttelbeton für d'r Maga«, finden seine Liebhaber. Aber norddeutscher Kartoffelsalat? »Jetzt kann e gar nemme – da send ja Schnitz in Mayo ersäuft, mit Gurkastückle dromrom.« Da hören Spaß und Toleranz auf.

Dabei hat der Schwabe ein sehr gespaltenes Verhältnis zur Kartoffel. Schon die Statistik zeigt, wie der Schwabe die Kartoffel am liebsten verwendet: erstens »durch d'Sau durch«, zweitens als schwäbischen (!) Kartoffelsalat, drittens als »Saure Rädla« und viertens als Bratkartoffeln. Aus! Mehr gibt es nicht auf der traditionellen schwäbischen Tafel. Allenfalls noch als Zusatz im Gaisburger Marsch und in den Bubaspitzla. Was Badener oder etwa Norddeutsche aus Kartoffeln zaubern, bleibt der schwäbischen Küche fest verschlossen.

Dabei gab es in Schwaben bereits zwei Generationen bevor der Alte Fritz in Preußen den Kartoffelanbau gesetzlich befahl, Kartoffeln auf dem Küchentisch. Von 1698 bis 1700 nahm der schwäbische Herzog rund 3.000 Glaubensflüchtlinge als Asylsuchende auf und gab ihnen das Grenzgebiet zu Baden, das während des Dreißigjährigen Krieges völlig menschenleer wurde, als Siedlungsgebiet. Die Flüchtlinge kamen aus der Provence und den Turiner Alpentälern (den Cottischen Alpen), nannten sich Waldenser und sprachen einen provenzalischen Dialekt, in dem sie auch ihre Gottesdienste bis 1800 abhielten. Dann gingen sie in der württembergischen Landeskirche auf. Unter ihrem Anführer, Pfarrer Henri Arnaud, kamen sie nach Württemberg, brachten ihre Sprache, ihre Seidenspinnerei und ihre Maulbeerbäume mit – und eben auch die Kartoffel.

Sie waren evangelisch, aber calvinistisch-reformierter Prägung. So stießen »die Welschen« in Württemberg mit ihrer Sprache auf Ablehnung. Genauso wie das, was sie mitbrachten. Das betraf auch die Kartoffel. Die Seidenraupenzucht ging ein, weil die mitgebrachten Maulbeerbäume das raue schwäbische Klima nicht vertrugen. Die Kartoffel überlebte, wurde aber nie recht geliebt.

Bevor die Waldenser kamen, klopften schon einmal Asylsuchende an die württembergischen Pforten. Ein paar Jahrzehnte vorher fragten französische Diplomaten an, ob sie als Hugenotten nicht in Württemberg Asyl bekommen könnten. In Frankreich wurden sie nach dem Edikt von Nantes blutig verfolgt und suchten nach Auswanderungsmöglichkeiten. Die Schwaben lehnten mit dem Argument »Do kommt en fremder Sama rei'« ab. So zogen sie nach Preußen, wo sie vom Soldatenkönig mit seinem Edikt von Potsdam 1685 freundlich aufgenommen wurden, der sich für sein Preußen, das damals nicht mehr war als »des Heiligen Römischen Reiches Streusandbüchse«, eine große Zukunft versprach. Genau dieses Wunder geschah. So kam Preußen zu seinem Großbürgertum mit internationalen Kontakten. Der »Französische Dom« in Berlin ist heute noch ein steinernes Denkmal davon. Die Hugenotten machten Preußen groß.

Der württembergische Hof sah solches mit Verdruss. Und als wieder evangelische Flüchtlinge anfragten, setzte sich der Hof gegen alle Stimmen durch. Nur kamen dieses Mal nicht reiche Kaufleute, Offiziere und Bildungsbürger, sondern arme Bergbauern. Da hatte sich der Hof verrechnet und die Schwaben schnitten die »Welschen«.

Das Symbol der Waldenser ist eine brennende Kerze auf der Bibel: Lux lucet in tenebris – das Licht leuchtet in der Finsternis. So haben sie ihren Glauben verstanden und gelebt. Dieses Symbol markiert auch den sogenannten Waldenser-Weg, den man erwandern oder mit dem Fahrrad erfahren kann. Von Großvillars nach Schönenberg zieht sich der Weg, der in Schönenberg im Pfarrhaus von Henri Arnaud endet, in dem das Waldensermuseum und die Geschäftsstelle der Deutschen Waldenservereinigung untergebracht sind.

Offen bleibt die Frage, wie die Waldenser ihren Kartoffelsalat gemacht haben. Das sollte noch erforscht werden.

Buchempfehlungen

Wer das Thema vertiefen möchte, dem seien folgende Bücher empfohlen:

Bischoff-Luithlen, Angelika: *Der Schwabe und die Obrigkeit.* Theiss Stuttgart [8]1998.

Borst, Otto: *Geschichte Baden-Württembergs.* Hgs. Susanne und Franz Quarthal. Theiss Stuttgart 2004.

Feinäugle, Norbert; Fischer, Hermann: *Wie dr Schwob schwätzt.* DRW-Verlag Leinfelden-Echterdingen [2]2003.

Fricke, Thomas; Gräter, Carlheinz: *Damals hierzuland.* Silberburg Tübingen 1997.